P9-AQE-932

Читайте романы
королевы психологической интриги
Анны Даниловой

Когда меня не стало
Крылья страха
Выхожу тебя искать
Волчья ягода
Мне давно хотелось убить
Саван для блудниц
Черное платье на десерт
Девушка по вызову
Рукопись, написанная кровью
Парик для дамы пик
Пикник на красной траве
Шоколадный паж
Роспись по телу
Этюд в розовых тонах
Последняя защита адвоката, или Плюшевый свидетель
Услуги особого рода
Яд Фаберже
Комната смеха
Мальтийский апельсин
Виртуальный муж
Японская молитва
Цветы абсолютного зла
Страна кривого зазеркалья
Платиновая леди
Танцующая на волнах
Свергнутая с небес
Гламурная невинность
Древний инстинкт
Женщина-ветер
Нирвана с привкусом яда
Правда о первой ночи
Дама из Амстердама
Игры с темным прошлым

Властелин на час
Белоснежный лайнер в другую жизнь
Бронзовое облако
Самый близкий демон
Первая жена Иуды
Delete
Хроники Розмари
Солнце в ночном небе
Ледяное ложе для брачной ночи
Подарок от злого сердца
День без любви
Печальная принцесса
Призрак Монро
Персиковый мед Матильды
Издержки богемной жизни
Вспомни обо мне
Красное на голубом
Сердце химеры
Госпожа Кофе
Дождь тигровых орхидей
Миф Коко Банча
Одинокие ночи вдвоем
Алый шар луны
Черника на снегу
Девять жизней Греты
Смерть отключает телефон
Шестой грех
Меня зовут Джейн
Звезды-свидетели
Витамин любви
Две линии судьбы
Когда остановится сердце
Призраки знают все

Аромат желания
За спиной – двери в ад
Тайная любовь Копперфильда
Любовница не по карману
Красивая, богатая, мертвая...
Пожиратели таланта
Черный пасодобль
Серебряная пуля в сердце
Незнакомка до востребования
Ангел в яблоневом саду
Из жизни жен и любовниц
Тринадцатая гостья
Прекрасный возраст, чтобы умереть
Приговоренный к жизни
Признания грешницы
Дом на берегу ночи
Ведьма с зелеными глазами
Пленница чужих иллюзий
Девушка, не умеющая ненавидеть
Цветок предательства
Мишень для темного ангела
Грех и немножко нежно
Если можешь – прости
Убийство в соль минор
Уставшая от любви
Плата за роль Джульетты
Одно преступное одиночество
Слезинка в янтаре

АННА ДАНИЛОВА

Люби, чтобы воскреснуть

Слезинка в янтаре

Москва  2017

УДК 821.161.1-312.4
ББК 84(2Рос=Рус)6-44
Д18

Оформление серии *С. Прохоровой*

Данилова, Анна Васильевна.
Д18 Слезинка в янтаре : [роман] / Анна Данилова. — Москва : Издательство «Э», 2017. — 288 с. — (Эффект мотылька. Детективы Анны Даниловой).

ISBN 978-5-04-088648-7

Наша судьба – как спящая красавица: так и будет таиться в забытьи, пока не придет тот, кто песней или поцелуем пробудит ее к жизни. Но не сказочную, не воображаемую, а самую настоящую мертвую царевну, оказывается, можно найти в пещере в дебрях тайги – и это в наши дни, когда ни в сказки, ни в судьбу никто не верит. Вот только каково ей, той, что ни во что не верит, всю жизнь играть мертвую царевну, таиться от судьбы, стать слезинкой в янтаре?..

УДК 821.161.1-312.4
ББК 84(2Рос=Рус)6-44

ISBN 978-5-04-088648-7

Все действующие лица и события в этой книге вымышлены

Принцесса

— Смотри, у нее даже глаза открыты. Так и хочется еще раз сфотографировать.

— Успокойся уже. Это опасно. Пойдем скорее отсюда. Не знаю, как ты выдерживаешь, — меня уже воротит от запаха чеснока.

— А я бы смотрела и смотрела... Вот она, настоящая Тисульская принцесса. Глаза голубые, волосы рыжие. Платье из какого-то фантастического белого кружева. И раствор волшебный, не поймешь, какого цвета — не то голубой, не то розовый. Но зрелище по-настоящему завораживающее. Красавица. Инопланетянка. Сколько же она пролежала в этом мраморном гробу?

— Восемьсот миллионов лет.

— От таких чисел голова кружится. Невероятное что-то. Может, мы слишком торопимся отсюда уезжать? Ты только посмотри на нее!

— Поехали, говорю! Не сходи с ума! Мы должны исчезнуть до того, как пещеру завалят. Все, забудь уже эту историю, как страшный сон.

— Трус ты, понятно?

— Главное — вовремя поставить точку.

— Трус! Трус!

Он подошел к белому мраморному гробу, который возвышался на розоватой каменной подставке и был подсвечен мощным фонарем, — его установили на выступе одной из стен. Опустил прозрачную крышку. Раздался звонкий стеклянный звук, и сразу за ним наступила тишина. Зловещая, опасная.

Его спутница стояла совсем близко от мраморного гроба и смотрела на девушку на самом его дне как загипнотизированная.

Резкий свет фонаря мазнул по стенам пещеры, слоистая каменная поверхность засверкала в его луче. Человек с фонарем схватил спутницу за руку и потянул за собой. К выходу, к свету.

Валентина

— Мне кофе американо и тарталетку с ягодами.

Кофейня «Мой шоколад» («My chocolate»), где я работала, была в то время практически моим домом. В уютном заведении звучала ненавязчивая музыка, пахло свежим кофе и ванилью. Нашими посетителями были люди спокойные и небедные. Еще одно несомненное достоинство этого места заключалось в том, что здесь имелись довольно просторные подсобные помещения. Хозяину удалось выкупить особняк в самом центре Москвы. В маленькой подсобке с диваном и узким шкафом я иногда оставалась ночевать.

Причины? Иногда мне просто нужно было перекантоваться: с одной квартиры я уже успевала съехать, другую пока не могла найти. Квартиранткой я была не слишком дисциплинированной, могла отдать ползарплаты за новое платье или косметику, и тогда на жилье не оставалось и меня просто-напросто выставляли за порог. С вещами. Бывало и так, что я ночевала в кафе из-за мерзкой погоды. Ночью в дождь или в метель мне совсем не улыбалось ехать через всю Москву в свою дешевую конуру в спальном районе. Гораздо приятнее было, оставшись в кафе одной — похрапывающий охранник в гардеробе не в счет, — принять душ и нырнуть под одеяло, чем тащиться до метро, чтобы утром в такую же слякоть или метель ехать обратно на работу. Будь я не одна, конечно, я мчалась бы к метро сломя голову. Но только ни мужа, ни даже парня, ради которого стоило изменить свои привычки, пока не намечалось, а потому я жила как хотела, стараясь создать для себя максимальный комфорт.

Мне было двадцать, впереди вся жизнь, я была свободна и даже по-своему счастлива. Конечно, мне бы не хотелось всю жизнь работать на чужого дядю и разносить кофе с пирожными. Моей мечтой было собственное экскурсионное бюро, вот только мечта эта оставалась недостижимой, в чем я прекрасно отдавала себе отчет. Никаких исключительных способностей, чтобы зарабатывать своим умом или талантом, у меня нет. Что ж, это означает, что, скорее всего, я, не получив образования, буду сначала разносить кофе, потом, годам к сорока, мыть посуду в том же кафе, а ближе к шестидесяти — драить там же полы. Удачный брак мог бы изменить мою судьбу. Но опыт замужних подруг, которым брак не принес ничего, кроме разочарования, был у меня перед глазами. Признаться честно, я не была уверена, что так уж хочу связывать свою судьбу с кем-то.

Оставалось жить каждым днем, встречая его с улыбкой, и радоваться тому, что я работаю в таком красивом месте и доставляю нашим посетителям радость.

Конечно, зарабатывала я не так уж много, всего тридцать тысяч, десять из которых надо было отдавать за жилье, а на остальные двадцать както существовать. Большим плюсом в моей работе было еще и то, что я всегда была сыта и даже, если после работы все-таки ехала домой, могла прихватить кое-что поесть. Само собой, мне иногда перепадали чаевые, что тоже было неплохо. У нас, конечно, просто кофейня, где заказывают напитки и сладости, а не дорогой ресторан с алкоголем и деликатесами, где платят щедрые чаевые. Зато здесь ко мне никто не приставал и не трепал нервы. Опыт работы в подобном заведении у меня имелся, и я до сих пор с содроганием вспоминаю одного посетителя, мерзкого пьяного парня с рябым лицом, который чуть не изнасиловал меня в своей кабинке.

— Торт «Опера» и чай с лимоном.

Я записывала заказы маленьким карандашиком и, ловко лавируя между столиками, разносила ароматный кофе, чай, пирожные. На мне была форма — черная узкая юбка и кофейного цвета блузка с белым кружевным воротничком. Туфли-лодочки на небольшом каблуке ступали по толстым коврам неслышно. Все бы хорошо, только спина к вечеру начинала болеть, и еще ныли суставы, особенно в плечах.

На двери зазвенел колокольчик. Вошел посетитель, один, без спутницы, что само по себе у нас было странно. Нет, есть, конечно, мужчины-сладкоежки, которые заглядывают в наше заведение, чтобы съесть кусок вишневого штруделя или клин наполеона, — в сущности, это и есть наши самые приятные постоянные посетители, и это именно они платят хорошие чаевые, и всех их мы знаем и встречаем, как старых знакомых.

Но этот был мне не знаком, да и сел он сразу в самый темный угол зала, так что я даже не успела разглядеть его лицо. Высокий и худой — он даже силуэтом не напоминал ни одного из наших постоянных посетителей. Это был мой столик, и я направилась принимать заказ, мысленно прикидывая, что этот гость мог бы заказать. Скорее всего, салат и водку. Время от времени к нам заглядывают и такие вот типы — им все равно, где выпить и закусить или просто переждать непогоду, согреваясь алкоголем. Некоторые заходят к нам выпить исключительно по географическому принципу — это жители нашего района, желающие пропустить рюмку-другую после работы. Те же, кто пьет много и долго, проводят вечера в барах по соседству.

Я подошла к столику, и сердце мое остановилось. На меня смотрел тот самый мужчина, который в пьяном виде набросился на меня на прежнем месте работы — в дорогом ресторане с отдельными кабинками. Девушки-официантки, как правило, со временем привыкают к разного рода неприятным ситуациям, которые случаются по вине подвыпивших клиентов. Здесь и пьяные придирки, и приставания, и острые конфликты — все, что следует проглотить, чтобы сохранить работу. Я тоже успела ко многому привыкнуть и научилась улаживать конфликты. Знала уже, как успокоить клиента, находила нужные слова. Но этого мужчину я запомнила на всю жизнь.

Не сказать что он был очень уж опасен, дело не в этом. Да, он набросился на меня, когда я принесла ему очередную порцию виски, повалил на диван, стал срывать с меня одежду. Мужчины иногда срываются, превращаясь в животных, женщины это знают и презирают их за это. Но в случае с этим типом главное было не в том, что он делал, а в нем самом. Отвратительная внешность: крупный нос с прыщами, толстые влажные губы, маленькие, глубоко запавшие глаза. И еще какой-то рыбный запах, исходящий от него и вызывающий отвращение до спазмов в горле. И это при том, что выглядел он вполне респектабельно: дорогой костюм, ботинки, золотые перстни на пальцах и прочие мелочи, указывающие, что человек богат.

На этот раз на нем были джинсы и черная рубашка. Он смотрел на меня так, как если бы много лет искал, как своего единственного опасного врага, и вот наконец нашел. Прожигал меня немигающим взглядом темных маленьких глаз.

— Привет.

Я даже отшатнулась от него.

— Тебя зовут Валентина, это я помню. — Он с усмешкой взглянул на бейджик, приколотый к моей блузке. — Я и фамилию узнал — Юдина. Я прав?

— Что будете заказывать? — Я старалась сохранять спокойствие.

— Водку и салат.

— Вы выбрали, какую именно водку и какой салат?

— Все равно.

Повернулась, чтобы уйти. Он прошипел мне в спину:

— Мне еще никто не отказывал, поняла?

Я замерла, понимая, что вот сейчас он скажет что-то еще, что окончательно выведет меня из равновесия. Какую-нибудь гадость. И точно, он назвал мой адрес. Даже номер квартиры.

— Сюда я больше не приду, а вот домой к тебе загляну. Уже сегодня. Так что готовься.

Я бросилась на кухню. Сердце мое колотилось, я чувствовала, как на лбу выступила испарина. Это был страх. Он понимал, что здесь, в «Шоколаде», не сможет ничего сделать, не то это место, да и кабин отдельных у нас нет. А вот подкараулить меня дома — легко.

Заказ я передала подружке Сашке, а сама постучала в кабинет шефа. Мягкий и улыбчивый Миша, как мы его между собой называли, Михаил Борисович Пелькин встретил меня удивленно приподнятыми бровями. Так он задал немой вопрос: что случилось?

— Мне нужно срочно уехать. По семейным обстоятельствам.

— Да пожалуйста! — Он улыбнулся, развел руки. — Хоть сто порций!

Конечно, почему бы меня не отпустить, тем более что я почти живу в кафе. Я кивком поблагодарила его, вызвала такси и уже через полчаса поднималась на лифте к себе. У меня был план. Конечно, покупку пальто придется отложить до лучших времен, но чего не сделаешь ради спокойствия и даже безопасности.

В моей телефонной книге был один номер, который я хранила про запас. Он принадлежал пожилой даме, которая сдавала комнату на Цветном бульваре. Вернее, она ее не сдавала, поскольку боялась, что жильцы окажутся людьми непорядочными и даже опасными. Но вот мне, как она выразилась, могла бы сдать хоть на всю жизнь. Дама, ее звали Людмила Николаевна, была нашей постоянной посетительницей, большой любительницей эклеров. Испытывая ко мне симпатию, она время от времени устраивала праздники и для меня — заказывала целую коробку пирожных, чтобы потом подарить мне.

В какой-то момент ее скучное вдовство перестало быть таким унылым: появились радостные хлопоты, связанные с рождением правнуков-близнецов. Пришлось моей Людмиле Николаевне запереть свою двухкомнатную квартиру на Цветном бульваре и переехать к внуку в Столешников переулок. Там она жила уже четыре года. В то время у ее подруги шел ремонт, она освободила одну из комнат и предложила той пожить у нее. Ремонт длился почти год. Наконец, подруга съехала и посоветовала Людмиле Николаевне сдавать комнату, все-таки центр.

Моя знакомая благодаря состоятельному внуку в деньгах не нуждалась и сдавать комнату не спешила. Я с превеликим удовольствием воспользовалась бы ее предложением и раньше, тем более что квартирная плата была такой же, но для этого нужно было расплатиться с нынешней хозяйкой — я задолжала ей за целых четыре месяца.

И тут вдруг эти угрозы. Сумма, отложенная на пальто, могла бы ускорить дело. Я созвонилась с Людмилой Николаевной, получила ее согласие на переезд, потом встретилась с хозяйкой и уладила все с ней. Оставалось только быстро упаковать вещи.

Но здесь случилось нечто непредвиденное.

Перед тем как покинуть квартиру, нужно привести ее в порядок. Я принялась за уборку. В очередной раз выйдя с мусорным ведром, я услышала откуда-то сверху, где находился последний, технический этаж, всхлипывания. К тому, что в лифтовую шахту подкидывают новорожденных котят, которые орут там, запертые, пока за ними не приходит лифтерша, чтобы спасти их и раздать, я привыкла. Но это был человеческий плач. Похоже было, что всхлипывает ребенок.

Я поставила ведро, поднялась на один пролет и увидела на подоконнике особу лет восемнадцати в длинной юбке и теплой кофте — в июльскую-то жару! Спутанные длинные волосы закрывали половину ее узкого лица.

— Эй, ты чего плачешь?

Я подошла к ней совсем близко. Она не была похожа на наркоманку или алкоголичку, но была явно нездорова.

Вместо ответа она заскулила еще громче и закрыла лицо руками. Везет мне на таких горемык. По весне подобрала в метро избитого бомжа — уж очень обильно кровоточила рана на его голове. Сначала хотела вызвать «Скорую», достала уже телефон, но бомж застонал и попросил никуда не звонить. Промычал сквозь выбитые зубы и кровавую пену, что не хочет проблем с полицией. Не оставлять же человека на улице!

Нет, конечно, я не сумасшедшая, чтобы подбирать всех бомжей Москвы и тащить к себе. Но что-то в нем было такое человеческое, жалкое, что я помогла ему подняться и привела к себе, тем более что живу я недалеко от метро. Грязный, дурно пахнущий, избитый, в крови... Брр. Промыла ему рану на голове — там была большущая шишка с кровоподтеком, глаз заплыл. Потом сделала примочку с крепким чаем, как могла что-то там залила йодом, забинтовала, скормила ему таблетки универсального антибиотика, который в свое время вылечил меня от вирусной простуды, напоила чаем с малиной и уложила спать. Красть у меня было нечего, скромные золотые украшения и деньги я спрятала в надежном месте.

Бомжа звали Вадимом. Возраст его я так и не определила — уж очень он был заросший и бородатый. Во сне он стонал, бормотал что-то тарабарское, понять эту речь было невозможно. Я с трудом сдерживалась, чтобы не вызвать «Скорую». Однако стоило представить себе, как вот такого, больного и израненного, его бросают в камеру, как сомнения мгновенно исчезли. Я решила подержать его у себя несколько дней, пока что-нибудь не прояснится.

Первые двое суток Вадим отсыпался. Я приезжала с работы, кормила его бульоном, пирожными из нашего кафе, поила целебным чаем и молоком, даже читала ему на ночь детские сказки — почему-то решила, что они помогут ему забыться и уснуть. По утрам я настоятельно уговаривала его поесть в мое отсутствие и уходила на работу. Так продолжалось несколько дней. Жилец мой ничего о себе не рассказывал, молчал и, судя по всему, сильно переживал, я бы даже сказала, был потрясен случившимся. Не исключено, что после побоев он забыл собственное имя.

Однажды случилось то, что должно было случиться. Он исчез. Я вернулась, открыла дверь и сразу поняла, что его нет. Какая-то особенная тишина стояла в квартире. А еще пропали деньги. Не все, конечно, а те отложенные на хозяйство, что я хранила в шкафчике на кухне, — пара тысяч рублей, не больше. Вот и вся история.

Девушка ничего не ответила, но как-то подобралась вся, сжалась, словно в ожидании удара.

— Тебе плохо? Может, «Скорую» вызвать?

Почему я должна ей доверять? Мало ли странных личностей обитает в Москве. Может, она в самом деле больна, но не исключено, что это просто мошенница, которая пытается втереться в доверие к первому встречному.

— Пойдем ко мне.

Сейчас, когда я вот-вот покину эту квартиру навсегда, я ничем не рискую. Денег нет, брать у меня нечего, квартира стоит пустая. Зато есть возможность услышать очередную драматическую историю. Сказать, что я коллекционирую такие истории, было бы грубо и неправильно. Хотя, с другой стороны, как еще назвать эту жажду услышать как можно больше жизненных историй, чтобы когда-нибудь написать настоящий роман? Тем более что мысленно я написала их уже десятки.

Она перестала всхлипывать и сползла с подоконника. На белой краске остался смазанный кровавый след.

— Эй, что это?

Она, пошатываясь, смотрела на меня. В глазах стояли слезы.

— Все понятно. — Я взяла ее за руку и потянула за собой. — Рассказывай, что с тобой. Изнасиловали? Хотели убить? Криминальный аборт? Выкидыш?

— Сделала аборт, мой парень выгнал меня из дома. Все.

История оказалась короткой и не очень-то интересной.

— Так тебе некуда идти? Родителей нет?

— Мать есть, но она меня убьет, если узнает. Она предупреждала, что не надо с ним связываться.

— Как ты оказалась здесь?

— Шла мимо, дверь в подъезд была открыта, я и зашла.

— А что в этом районе делаешь?

— Мой парень живет в соседнем доме. Я вернулась из больницы, хотела отлежаться, а он пришел, набросился на меня. — Она коснулась рукой своего носа, и я только тогда заметила, что он слегка припух, а из одной ноздри тянется бурая ниточка подсохшей крови.

— А зачем аборт сделала? Почему ребенка не оставила?

— Да ненадежный он. Ладно, пойду я.

— Куда?

— Не знаю.

Она сделала порывистое движение, чтобы встать, но ее куда-то повело, и она упала прямо к моим ногам.

Так в моей жизни появилась Оля. Моя ровесница. Девушка из молдавской деревни, для которой у судьбы не нашлось ничего лучше, чем работа на текстильной фабрике в Подмосковье — одной из тех многочисленных фабрик, где шьют «итальянские» простыни и полотенца.

Как было не позаботиться о ней? Я дала ей ношпу, накапала валерьянки, чтобы успокоилась, а потом взяла с собой в квартиру на Цветном бульваре.

Ольга

Она мне так ничего и не объяснила. Говорит, мол, просто познакомься с ней. Найди способ ее разжалобить, пусть она сама захочет взять тебя под свое крыло. Придумай что-нибудь такое девочковое, женское, чтобы она поставила себя на твое место и захотела тебе помочь. Веди себя естественно, сама поверь в историю, которую придумаешь, и живи с ней, как если бы это была правда.

Это будет единственная ложь между вами. В остальном же будь с ней откровенна. Расскажи о себе, о своей фабрике, о том, сколько тебе там платят, вернее, не платят.

Но главное — расположи ее к себе. Сделай ее желания, пристрастия, цели своими. Она такая же лимита, как ты. Приезжая, работает официанткой в кафе, парня вроде нет. Смотри внимательно, чем она интересуется, что ей нравится. Может, книги любит читать, так и ты тоже читай. Или коробки салфетками обклеивает, декупаж называется, сейчас все этим занимаются. И ты научись. Вы должны стать настоящими подругами, близкими людьми. Ты не глупая, у тебя получится. Когда я пойму, что время пришло, я расскажу тебе все.

— Она что, моя сестра? — пыталась угадать я.

— Какая еще сестра? Дело вообще не в ней. Говорю же: расскажу, когда придет срок. Никто не знает, когда это случится. Но ты не думай ни о чем таком, живи себе как жила и не забивай голову лишними вопросами.

Девочковое, женское. Я придумала аборт и парня-тирана, от которого не хотела иметь ребенка. Надо же, сработало. Конечно, я тогда понятия не имела, что мне так крупно повезет и что в день нашего знакомства Валентина привезет меня в самый центр Москвы, на Цветной бульвар. Мы вообще могли упустить ее из виду.

Помнится, в тот день я от стыда старалась на нее не смотреть. А еще я так нервничала, что у меня носом пошла кровь, что было очень кстати. Пусть думает, что меня ударил любовник.

В тот момент я, конечно, не знала, что события станут развиваться так быстро. Да что там, я сама не ожидала, что я, не очень общительная и разговорчивая, так легко сумею установить контакт с незнакомым человеком. Кто бы мог подумать, что совсем скоро я перестану смущаться и отводить глаза. Выходит, я действительно поверила в существование парня и аборта. Да что там, у меня весь вечер болел низ живота, как будто мне на самом деле сделали операцию. Только кровь, которой нужно было испачкать белый подоконник, была не моя. Пришлось купить в магазине кусок сырой печени и перед входом в подъезд как следует вымазать юбку.

— Значит, тебе негде жить? Ладно, поживешь со мной. А там видно будет.

Валентина оказалась очень милой и доброй. Она не навязывала мне свое общество, понимала, что мне сейчас не очень-то хочется говорить. Весь оставшийся день она занималась обустройством нашего нового жилья. Для меня же самым удивительным было то, что я вот так, совершенно случайно, повинуясь приказанию матери, в один миг обрела и подругу, и квартиру в центре Москвы. Пускай это была не наша квартира, все равно, она была просторной и роскошной. Я уже не говорю о том, что куда приятнее делить жилье с ровесницей, чем с мамой.

— Ты лежи спокойно, а я уберу, — сказала Валя, распаковав все свои чемоданы, сумки, пакеты и узлы. — Надо вымыть полы, а потом я заварю чай и перекусим.

Вещей у нее было вроде и немного, но квартира уже через час приобрела такой вид, как будто она жила здесь всю жизнь. Круглый столик в углу оказался завален альбомами, книгами, рулонами бумаги, забрызганными коробками с акварелью, даже нотами. На письменном столе появились сразу два ноутбука, планшет и керамический горшок с ручками, карандашами и кистями. Шкаф мгновенно заполнился куртками, плащами, какими-то цветными балахонами, свитерами и джинсами. На туалетном столике выстроились в ряд флаконы и баночки с кремами, в ванной на полочке собралась целая коллекция шампуней и средств по уходу за волосами. Квартира словно проснулась, наполнилась звуками — шорохами, тихой музыкой, льющейся из ноутбука (что-то классическое, красивое и печальное), плеском воды из кухни, звоном чашек.

Валентина сходила в магазин и принесла целую связку апельсинов и курицу. На плите закипала вода для бульона.

Хоть я и многое о ней знала, приходилось задавать вопросы, иначе моя осведомленность могла вызвать подозрения. Она отвечала коротко, думая о чем-то своем, иногда и вовсе невпопад.

— Официанткой в кафе.

— Съехать пришлось из-за одного маньяка, который меня преследует. Надеюсь, теперь не найдет.

— Не знаю, может, и обращусь в полицию.

— Рисую.

— Это пирожные из кафе. Ешь. Завтра еще принесу.

— Бумага для акварели.

— Немного играю на гитаре и фортепиано.

— Люблю, когда много апельсинов. Я их рисую, а потом ем.

Спали мы, судя по всему, на хозяйских простынях. Думаю, раньше эту квартиру вообще не сдавали, а Валентину пустили сюда исключительно по дружбе. Должно быть, здесь жила благополучная, счастливая семья. Это ощущалось в самом духе квартиры, но были еще безделушки, семейные фотографии — люди ушли, а часть своего счастья оставили нам. В такой квартире, хотелось быть честной, чистой, везучей, любимой.

Но я не была честна с Валентиной с самой первой минуты знакомства. Получается, я была мошенницей. Мошенница с завязанными глазами. Тогда я не знала, какую цель преследовала моя мать, настаивая на нашем знакомстве. Понятно было, что из этой дружбы она собирается извлечь какую-то выгоду. Вполне возможно, целью была как раз хозяйка этой квартиры. Может, мама положила на нее глаз?

Нет, моя мать не мошенница. Она так много пережила в жизни, что я заранее все ей прощаю. Из последней своей истории она чудом выбралась живой.

Всегда, когда я думаю о матери, воображение рисует заснеженную остановку где-то на окраине Москвы. Мороз, мы сидим на большом чемодане, прижимаемся друг к другу и умираем от холода.

Валентина

Не знаю, как получилось, что я, человек не очень общительный, так быстро привязалась к Оле. Она оказалась тихой, скромной. Наверное, здесь подойдет слово «кроткая». Понимая, как она страдает, не столько даже физически, сколько морально, я старалась не донимать ее расспросами. Да и какой в них смысл? Захочет — сама обо всем расскажет. Но она не рассказывала, и это, конечно, было лучшее, чего можно желать. Не возвращаясь хотя бы на словах к аборту и разрыву с любимым, она избавляет себя от новых страданий.

Невозможно было не заметить, насколько Оля вынослива и сильна физически. Уже через день после операции она поехала на свою фабрику. Несмотря на то что платили там копейки, она все равно держалась за эту работу. Потихоньку я решила подыскивать ей другое место. Предложу, а там уж как сама решит.

Что касается моего преследователя, было бы наивно полагать, что, сменив адрес, я избавилась от него навсегда.

Я так и не поняла, почему он сказал, что больше не появится в кафе. С какой стати я должна ему верить? Проследить за мной при желании тоже ничего не стоит, значит, он без труда сумеет узнать новый адрес. И все равно в этой квартире я чувствовала себя защищенной. Наверняка это было связано с духом этого места, а может, еще и с тем, что нашими соседями были люди состоятельные и серьезные. Людмила Николаевна в свое время кое-что успела рассказать о них.

Однако ни появившийся в моей жизни преследователь-маньяк, так я его про себя окрестила, ни переезд, ни знакомство с Олей не занимали меня в то время сильнее одной фотографии, на которую я случайно наткнулась в интернете.

Конечно, я могу ошибиться, но с этой фотографии на меня смотрела Аня. Моя пропавшая старшая сестра. А самое главное, что это была не простая фотография. Девушка, удивительным образом похожая на Аню, лежала в гробу.

Ее телефон не отвечал уже полгода. Ровно столько же я не получала от нее денег. Так уж у нас повелось: с тех самых пор, как мы вылетели из семейного гнезда, Аня присылала мне деньги. Всегда по-разному — то много, то совсем мало. Дело было не в суммах — благодаря этим деньгам я знала, что она жива и здорова.

Где ее искать, я не представляла. Моя сестра могла по-прежнему жить в Петербурге, в квартире, доставшейся нам от родителей, и работать в таком месте, где должны быть востребованы ее талант и способности. Но ничто не мешало ей найти очередного хахаля и отправиться с ним на край света обделывать там свои делишки.

Да, моя сестра принадлежит к числу людей, брезгующих физическим трудом. Она уверена, что деньги стоит зарабатывать исключительно мозгами. Плюс редкими способностями, если они у тебя, конечно, есть.

Мне-то было хорошо известно, чем и как зарабатывает моя сестра, и все равно язык не поворачивался назвать ее мошенницей. Наверное, это потому, что я ее очень люблю и считаю человеком выдающимся, гениальным.

Я закрыла ноутбук: пришла Оля. Открыла дверь свои ключом. Дубликат ключа мы сделали специально для нее.

— Я купила лимоны, предлагаю сделать домашний лимонад.

Она стояла на пороге, уставшая, но счастливая, широко улыбалась и потрясала пакетом с лимонами.

— Давай, я не против. Где-то в буфете я даже видела роскошный хрустальный графин литра на два. Займись, пожалуйста, лимонадом, а то от жары не продохнуть. Ты молодец. А я сегодня бездельничала, никуда не выходила, как-никак законный отгул. Немного порисовала, сварила суп, пожарила печенку, поспала.

— Суп, печенка — звучит как песня.

— Голодная, значит?

— Не то слово!

Мы сели ужинать. Москва за окнами полыхала, плавилась от жары. Только когда стены соседних домов стали окрашиваться оранжевым и закатно-золотым, мы распахнули окно, чтобы впустить свежий воздух.

— Ты хорошо готовишь. — Оля улыбнулась и отставила пустую тарелку из-под супа. — В следующий раз готовлю я.

— Договорились.

— Представляешь, сегодня в электричке разговорилась с одной, и она говорит, что у них в деревне живет женщина, которую по ошибке закопали живьем.

— Эдгар По отдыхает? — рассмеялась я.

— Не поняла. Кто отдыхает?

— Никто. Это я так.

— Вот не повезло, да? Представляешь: живого человека положили в гроб и закопали. А это просто летаргический сон или как это там точно называется, когда человек не дышит и пульс не прощупывается. И когда она в гробу очнулась...

— Может, не надо о гробах?

— Ой, извини, не буду.

— Да за что извинять? Интересная история, сама люблю такие. Так что там с этой женщиной? Надеюсь, осталась жива?

— Да, она проснулась, стала задыхаться, кричать. Хорошо, там на кладбище были люди — услышали, вызвали полицию. Откопали ее, конечно. Вот так.

— Ты веришь, что это было на самом деле?

— Не знаю. Почему-то всегда хочется верить в такие истории, с ними жить интереснее. И в рассказы об инопланетянах верю. Так должно быть, чтобы мы были не одни во Вселенной. А еще я думаю, что и до нас на нашей планете жили люди. Не дикари, а цивилизованные и умные.

Я положила ей на тарелку жареную печенку с картошкой. Оля благодарно улыбнулась.

— Значит, говоришь, цивилизованные? — Я сказала это исключительно с целью поддержать разговор.

— Ага. Однажды я вот так же ехала на электричке и разговорилась с одним человеком. Он рассказал, что какой-то его родственник живет где-то на Севере и знает, что в соседнем доме один старик выхаживает одну девушку...

— Что? Какую девушку? — Я начала терять нить разговора.

— Да там вообще странная история. Вроде существует деревня, точно не скажу, где именно, так вот там после войны шахтеры наткнулись на странную горную породу. Откололи кусок — и увидели мраморный белый саркофаг.

Оля продолжала с невозмутимым видом поедать печенку. Даже не смотрела на меня. Уткнулась в тарелку, увлеклась, надо же. Я придвинула ей бокал с компотом.

Может, мне послышалось? Должно быть, я просто перегрелась в душной квартире.

— Белый саркофаг? — Голос у меня дрожал, совладать с собой оказалось трудно.

— Ага. — Она жадно выпила компот. — Представляешь, саркофаг оказался не пустым. В нем...

Она посмотрела на меня тем магнетическим взглядом, к которому обычно прибегают малолетние рассказчицы историй о гробе с двадцатью четырьмя колесиками, отпечатавшемся изображении змеи в глазах жертвы или оживших жителях Атлантиды. На какой-то момент Оля сама превратилась в такую девчонку.

— В том саркофаге была девушка. И лежала она, ты не поверишь, конечно, в жидкости не то розового, не то голубого цвета. Девушка неземной красоты, но черты вполне себе европейские.

— Бред. И ты в это веришь?

— Конечно, не верю. Породе, в которой якобы обнаружен этот саркофаг, а значит, и самой девушке, ни много ни мало восемьсот миллионов лет.

— Сколько-сколько?

— Согласна, бред. — Она хлопнула ладонями по столу. — Забудь.

— Ты начала рассказывать о каком-то старике.

— Да, это все связано. Словом, шахтеры нашли этот гроб и сообщили в милицию. Но прилетели почему-то военные на самолетах и вертолетах. Понятно, хотели все это вывезти. Но гроб тяжелый, с этой непонятной жидкостью, которая служила консервантом. Решили ее слить, а девушку оттуда вынуть.

— Она что, голая была? — Я хотела максимально четко представить картинку.

— Нет, что ты! На ней было белое кружевное платье. Потом ученые скажут, что на земле нет такого материала, что это что-то космическое, невероятное.

— И что же? Вынули ее из гроба?

— Они, дураки, слили жидкость, и тело стало темнеть прямо на их глазах, пока окончательно не почернело. А когда вернули раствор на место, девушка снова стала розовой, как живая. Все это, понятно, куда-то увезли, засекретили, а чтобы информация не просочилась, убрали всех свидетелей.

— Как — убрали?

— Подстроили кому аварию, кому утопление в реке. Замаскировали убийства под несчастные случаи.

— Слушай, какую жуткую историю ты рассказываешь! Откуда ты все это узнала?

— Так в электричке же и рассказали. Я тебе о чем говорю: от попутчиков еще и не такое услышишь.

— О старике ты так и не рассказала.

— Рассказываю. Спустя какое-то время местные люди нашли еще сколько-то захоронений в тех же пластах, только уже никому не сообщали об этом. Поговаривают, что одна такая мертвая царевна даже дышала. Один старик сжалился над ней и взял ее к себе, стал выхаживать. Она, представляешь, даже глаза открыла и что-то пыталась произнести на каком-то непонятном языке. Старик быстро смекнул, что на этом можно заработать, и стал показывать ее приезжим. Не всем — только тем, кто мог заплатить доллары или евро. Ушлый, да?

— Чего только люди не придумают, — вздохнула я.

Неужели этот наш разговор не случайность? Да, я верю в то, что в жизни ничего случайного нет.

— Спасибо тебе большое. — Оля поднялась из-за стола. — Я помою посуду.

Мне оставалось вернуться на диван и открыть ноутбук на той странице, где я остановилась. Перед глазами был текст, который я успела выучить наизусть.

Это случилось в начале сентября 1969 года в поселке Р. Тисульского района Кемеровской области. В ходе взрывных работ на угольном разрезе в сердцевине двадцатиметрового пласта, залегающего на глубине свыше 70 метров, горнорабочий К. (впоследствии погиб на мотоцикле под колесами «КрАЗа») обнаружил двухметровый мраморный ларец. Ларец подняли на поверхность и попытались открыть, сбив окаменевшую замазку по краям. Не столько от ударов, сколько от воздействия солнечного тепла замазка превратилась в прозрачную жидкость. Один любитель острых ощущений даже попробовал ее на язык (через неделю сошел с ума, еще через пять месяцев замерз у двери собственного дома). Крышка ларца была подогнана идеально точно. Для более прочного соединения внутренний край окаймляла двойная грань, плотно прилегающая к стенкам пятнадцатисантиметровой толщины.

Ларец оказался гробом, до краев наполненным розово-голубой жидкостью. Под гладью раствора обнаружена высокая (около 180 см), стройная женщина. На вид около тридцати лет, черты лица европейские, глаза голубые, широко раскрыты. Локоны густые, темно-русые, с рыжеватым отливом, руки нежные, белые, с короткими, аккуратно постриженными ногтями.

Под текстом фотография этой Тисульской принцессы, как две капли воды похожей на мою пропавшую сестру. Бред, не может быть.

Я перекрестилась.

Александра

Все чаще я ловлю себя на том, что не знаю, как себя вести, что думать о других и как относиться к ним.

Мне всегда казалось, что хороших людей больше, чем плохих, а значит, жить не так уж и страшно. В самую трудную минуту кто-то обязательно должен помочь, в это я верила твердо.

Сейчас, когда я столь многое пережила и чудом не погибла, я смотрю на жизнь совсем по-другому. Никому не верю. А если по инерции и делаю что-то хорошее, бескорыстно кому-нибудь помогаю, в голове все равно сидит эта ядовитая мыслишка: может, этот самый человек, кому я сейчас помогаю, оборотень, и ждать от него можно любой подлости.

Я знаю, когда сломалась и белый свет вокруг превратился в черную беспросветную метель.

До пятидесяти лет я прожила в большом молдавском поселке с мужем-инвалидом и дочерью. Работала продавщицей в магазине, ухаживала за мужем, растила дочку. Тянула на себе дом и огород. Понятное дело, были и куры, и кролики, и поросята. Но я сильная, не жаловалась никогда. Не буду вдаваться в подробности, связанные с болезнью мужа, скажу одно: работать он не мог, зато трепать мне нервы, ревновать, бить, унижать и оскорблять меня — это все получалось у него здорово.

Сама я вроде не красавица, но все при мне. Сильная, выносливая, многое умею. А когда наработаешься, хочется повеселиться, попеть. Всегда мне эти праздники выходили боком. Стоило мне попеть-потанцевать, как муж быстро опускал на землю — ни одного праздника не обходилось без мордобоя. Бил в лицо, жестоко и сильно. Просто так — плати, мол, за веселье.

Мужу не изменяла, хотя могла бы. Но он почему-то считал, что у меня любовников, как смородины на кусте. И лупил всем, что попадется под руку. Когда поняла, что жить так дальше не смогу, что не выдержу и сама как-нибудь прибью его, предложила Оле, дочке моей, купить дом в каком-нибудь другом месте. Или вообще уехать подальше.

Оля тоже давно стыдилась отца и домашних скандалов. Девочка спокойная, работящая. Обрадовалась, когда я предложила отправиться на заработки в Москву. Многие из нашего поселка уже давно перебрались в Россию. Работали на стройках, шили, чистили, убирали, а заработанное высылали домой.

Потихоньку я продала все ценное, что было в доме, собрала необходимую сумму (тысяча евро!), приготовила багаж. Уволилась из магазина, и в тот же день мы с Олей, никому не сказав, на такси доехали до областного центра, сели на поезд и покатили в Москву.

Конечно, ехали мы не на пустое место. У нас были договоренности, адрес дома, где нас ждали, телефоны знакомых, которые могут помочь устроиться на работу.

В поезде мы познакомились с двумя женщинами, которые, как оказалось, тоже ехали в столицу на заработки, только не на фабрику, где планировали работать мы с Олей, а в один подмосковный поселок, где недавно закончилось строительство коттеджей и куда стали заселяться семьи. Этим людям требовались домработницы, и, по словам наших новых знакомых, для таких, как мы с Олей, этот поселок обещал стать настоящим Клондайком. Две тысячи евро в месяц — средняя зарплата, какую платят за уборку и готовку на целую семью.

Оля бросала на меня вопросительные взгляды, мол, как тебе такая работа, идея, возможность. Жить и работать в новом доме, где у тебя, помимо своей комнаты, будет бесплатная еда, да еще получать при этом такие деньжищи — что ж, звучало заманчиво.

Наши попутчицы достали бутерброды и лимонад — пора было перекусить. Мы тоже выложили печеную курицу, вареные яйца, сало, домашнее вино. Долго и с удовольствием ужинали, слушали, что говорят Лариса и Тамара о предстоящей работе. Оказывается, сестра одной из них уже живет в этом поселке. Очень довольна, вот даже выслала им, бедолагам, деньги на дорогу.

Пожалуй, впервые за долгое время меня отпустило. Я увидела впереди какой-то свет, перспективу. Даже картинку нарисовала в воображении: большой красивый дом, просторная кухня, я стою у плиты и помешиваю в большой кастрюле борщ, а где-то неподалеку на лестнице моя Оля с пылесосом в руках. Конечно, это не мой дом и не мой борщ, нам придется работать на чужих людей, прислуживать им, но все равно это работа, деньги, движение вперед. А еще какая-то защищенность, ведь нашими хозяевами будут люди небедные.

Вот такие у меня тогда были мечты.

Спала я крепко. Проснувшись, первым делом проверила тайник: деньги были на месте, под слоем нижнего белья, в специально пришитом карманчике. Все в порядке. Слава богу, наши новые подруги не какие-нибудь мошенницы.

С вокзала мы поехали на троллейбусе, чтобы потом пересесть на автобус, следующий как раз в нужный нам поселок. Поднялась метель, в окна троллейбуса снег летел с такой силой, как будто его бросал с неба какой-то великан. Я даже представила себе этого великана в заснеженных одеждах — вот он идет по Москве и разбрасывает снег...

На остановке, кроме нас, никого не было. Лариса сказала, что у нее сильно мерзнут ноги. Тамара протянула ей термос с кофе. Предложили и нам с Олей.

Очнувшись, я открыла глаза и не увидела ничего, кроме снега. По обеим сторонам высились убеленные снегом ангары. Ряды гаражей под снежными шапками, цеха, склады. Это была окраина Москвы, промышленная зона.

Оля спала, привалившись к заиндевевшей стеклянной стенке той самой остановки. Ее медленно заносило снегом.

Наших новых подруг не было. Не было и нашего багажа. Я сунула руку под свитер, нащупала край блузки, который должен был быть внутри, заправленный под юбку. Конечно, кармашек был пуст, денег не было. Получается, нас усыпили и ограбили? Теперь заснеженный великан представлялся мне с косой. Как смерть.

Оля была жива и крепко спала. От ее губ пахло кофе. С трудом я разбудила ее. Через полчаса, проваливаясь по колено в снег, мы побрели к какому-то складу, в окошке которого горел свет.

Если бы не Матвей, мы могли просто погибнуть. Без денег, еды, вещей, без драгоценных телефонов и адресов, которые остались в сумке, мы были обречены.

Сторож Матвей не побоялся впустить нас. Уложил обеих на диван, придвинул поближе большой масляный радиатор, напоил горячим чаем. Кажется, мы съели весь его обед: банку рассольника, который он разогрел маленьким кипятильником, ватрушки с творогом, печенье. Незамысловатая еда, но нам она тогда показалась пищей богов, волшебным источником силы.

Вдобавок ко всему мы обе сильно простыли. Матвей позвонил жене, попросил привезти лекарства, сироп от кашля, сухие травы. Мы прожили у него в сторожке почти месяц.

Когда Оля поправилась, он познакомил ее со своей сестрой. Та работала поблизости на фабрике, где шили «итальянское» постельное белье и полотенца. Оля сразу ухватилась за эту работу. Теперь она пропадала на фабрике сутками — хотела освоить ровную строчку. У меня работы пока не было, и поэтому ей особенно хотелось хоть что-то начать зарабатывать самой. Думаю, сработал инстинкт самосохранения: она так тяжело болела, что теперь изо всех сил спешила убедить себя в том, что жива.

От перспективы устроиться на ту же фабрику я отказалась сразу. В отличие от Оли, большой любительницы шить, я понятия не имею, с какой стороны подойти к швейной машинке.

Матвей свел меня с Жориком, шустрым мужичком, который присматривал за работающими здесь же, на стройке, гастарбайтерами. Он покупал для них еду, готовил, а по ходу дела приторговывал сигаретами и алкоголем.

Жорик взял меня к себе, поселил на заброшенной даче и передоверил большую часть своих обязательств. Что ж, пришлось браться за стряпню. Сам он кормил работяг в основном покупными котлетами и дошираком, я же накупила на рынке замороженных окорочков и зелени и стала готовить наваристые супы. Теперь обеды с супом, картошкой и теми же окорочками стали напоминать человеческую еду. Наши рабочие в благодарность за то, что я заботилась об их желудках, стали называть меня мамочкой.

Удалось скопить немного денег, и через Матвея я купила старый самогонный аппарат. Жорик, узнав об этом, поначалу чуть меня не прибил и немедленно пригрозил уволить. Я предвидела такой оборот и немедленно предложила ему процент. Поторговались, не без этого, но как только до него дошло, что продавать самогон выгоднее и безопаснее, чем позволять мужикам пить дешевую паленую водку, сам купил сахар.

Дело пошло. Чтобы пойло получалось приличнее и дороже, я научилась настаивать самогон на ореховых перегородках, бергамотовом чае, даже домашний джин делала, прогоняя по второму разу самогон с ягодами можжевельника. Мы с Олей приоделись, купили теплые вещи, вернули Матвею все, что он потратил на нас, и стали копить на то, чтобы снять квартиру. Оле платили мало и нерегулярно, да и перспектив на фабрике никаких не было. Жора предложил подрабатывать еще и стиркой одежды для рабочих. Привез откуда-то стиральную машину, старую, конечно, но еще на ходу. Я купила мешок порошка и принялась обстирывать нашу бригаду.

Весной я подала идею подремонтировать нашу дачу. Само собой, у дачи есть хозяин, она не Жорина, а это значит, что в любой момент нас могли оттуда прогнать. Прямые вопросы я старалась не задавать. Моим делом было найти новые виды заработка.

Идею насчет ремонта Жорик назвал блестящей. Мы договорились об объемах работы и оплате, он привез краску и плитку, и я, как могла, освежила наше жилище. К маю я по привычке вырастила рассаду, и летом заброшенный участок превратился в настоящий огород с ровными грядками и даже небольшой теплицей. Я кормила рабочих свежими салатами, зеленью, варила компот из фруктов, которые росли в саду, — яблок, вишни, слив.

По вечерам, умаявшись, я сидела перед маленьким телевизором и на специальной машинке набивала фильтры табаком — научилась еще в Молдавии. Я вообще не могла сидеть без дела и постоянно пыталась заработать. Иногда удавалось сварить варенье и продать, сидя на стульчике на той самой остановке, где мы с Олей чуть не замерзли. В лесу я собирала грибы, сушила их, мариновала и продавала на той же остановке. Так, копейка к копеечке, собралась довольно приличная сумма, и я закопала ее в стеклянной банке в саду.

Осенью мы с Олей планировали переехать в Москву и подыскивали работу. Но для начала требовалось получить московскую регистрацию. С этим снова помог Матвей — познакомил с нужным человеком.

Оля снимала комнату с подружкой Катей. Красивая белокурая Катя была у меня частым гостем. Когда девчонки приходили, я кормила их пирогами, давала с собой еду, деньги — словом, помогала, чем могла.

Однажды Катю заприметил один из наших рабочих. Молодой парень. Знаю, кто он и откуда, все о нем знаю. Может, влюбился, может, просто не сдержался. Да если бы он еще был один.

Я как раз возвращалась с рынка, где мы с Жориком покупали муку и сахар. Он высадил меня у дачи, мы договорились, чем будем заниматься завтра, и он отчалил.

Странные звуки доносились из сарая, где я хранила дрова. Эти звуки вызвали смутную панику. В сарае были люди, и они творили что-то нехорошее.

Их было двое. Тот парень и его брат. Изголодавшиеся по женщине мужчины потеряли человеческий облик. Они не только изнасиловали Катю, непонятным образом оказавшуюся в этом сарае, но еще жестоко избили, вымещая на ней, как я поняла потом, все унижения, которые испытали. Ей, этой хрупкой девочке, они решили отомстить за тяжелый труд и неустроенный быт. Одно слово — озверели.

Не помня себя, я схватила первое, что попалось под руку, какую-то палку. Набросилась на этих нелюдей и била, била их по головам, только сопли летели во все стороны. Оба брата, отвратительные в своей распаренной наготе, покрытые густой шерстью, как животные, выбежали из сарая, пытаясь поймать упавшие штаны...

Катя дышала. Лицо ее было в крови, один глаз заплыл. Бедра в крови.

Я позвонила Матвею, дрожащим голосом рассказала обо всем. Объяснила, что к себе вызвать «Скорую» не могу, я живу нелегально, а сюда может нагрянуть полиция.

Матвей примчался на своем старом «Фольксвагене». Мы перенесли Катю в машину, укутали одеялом, и он повез ее в больницу. Он москвич, скажет, что нашел ее на обочине дороги, и все. Это со мной начались бы расспросы, кто я такая и где живу, а с Матвеем проблем не будет. Мы договорились, что для того, чтобы насильников наказали, он скажет, что лично видел обоих братьев, когда они несли Катю в сторону трассы. Я спросила, не боится ли он их, ведь если он официально выступит в роли свидетеля, они могут с ним расправиться. На это Матвей невозмутимо ответил, что уже сегодня эти братья наверняка сбегут. Такие твари не станут сидеть и ждать, когда за ними придут. Катя-то жива, может и сама обо всем рассказать.

— А ты, Александра, должна уехать. Катя объяснит, где все случилось, и тогда встречи с полицией тебе не избежать. Собирайся и двигай в Москву. Деньги есть или тебе дать?

Золотой человек.

Я сказала, что так и сделаю. Он уехал, а я вернулась домой. По дороге позвонила Оле, рассказала все как есть, попросила никому пока ничего не говорить. Еще я попросила ее не приезжать ко мне, здесь скоро будет полиция, и идти ночевать в сторожку к Матвею, а не на квартиру, где они с Катей снимали комнату, потому что и там без полиции не обойдется. В Оле я была уверена. Она все сделает правильно, ведь она, как и я, жила в постоянном страхе перед полицией. Это при том, что у нас была регистрация, но кто знает, не липовая ли?

Страх, о котором я буду помнить всегда и о котором не устану твердить, въелся в кожу, мешал жить, дышать, строить планы. Меня не оставляло чувство, что мы с Олей здесь временно, что мы в любую минуту можем погибнуть. Слишком много горя и несчастий вокруг. И эти мужики, озверелые, потерявшие человеческий облик, они ведь тоже стали такими из-за немыслимых условий здешнего существования — и это при том, что я старалась как-то облегчить им жизнь. Кормила их, обстирывала, иногда лечила, давала какие-то лекарства. Говорю же, я знала этих парней. Не возьму в толк, как они могли сотворить такое у меня под носом?

Обо всем этом я размышляла, судорожно складывая вещи и одновременно стряпая обед. Как бы там ни было, тридцать пять человек должны прийти через полтора часа, и мысль, что они останутся голодными, не давала сосредоточиться на сборах. Меня всю трясло, я понимала, что надо уходить, убегать, но как же я могу сбежать?

Здесь, в этом маленьком доме, я провела больше года, успела кое-чем обзавестись. Бросить все сейчас я просто не имела права. Я заталкивала в сумки куртки и кофты, сапоги и кроссовки, свои и

Олины, заворачивала в фольгу продукты, которые были в холодильнике: неизвестно, что нас ждет и где мы будем жить. А на плите в кастрюлях кипели гречневая каша, гуляш, гороховый суп и кисель.

Багаж я вынесла из дома и спрятала в кустах. Потом взяла лопату и принялась выкапывать свою кубышку.

Я успела вынуть деньги из банки и спрятать их за пазуху, под футболкой, когда услышала шаги. Ко мне бежал человек. Это был он, тот самый, кто насиловал Катю. Он был пьян, в глазах светилось безумие.

Стоило мне увидеть его, как я сразу поняла, что он пришел, чтобы меня убить. Ведь я все видела собственными глазами. Я была свидетелем преступления, за которое его могут посадить. Страх перед возмездием, которого ему не избежать, если я останусь жива, пригнал его сюда. Думаю, выпил он тоже для храбрости.

Он набросился на меня и стал душить. Сильные пальцы впились мне в горло. Но я не могла позволить себя убить: у меня была дочь, и не для того я вкалывала здесь, чтобы какой-то насильник вот так взял меня и удушил. Мне удалось сбросить его с себя, я схватила его за руку и вонзилась в нее зубами. Парень взвыл.

Потом я просто била его, лежащего на спине, кулаками по лицу. Помню, что особенно хотела попасть по носу, из которого хлестала кровь. Дальше в моей руке откуда-то взялся камень.

Не помню, как бежала с тяжелыми сумками к трассе — через лес, чтобы меня никто не видел. Был момент, когда я выбилась из сил и спряталась за ели немного передохнуть. Все это время я почему-то думала не о том, что только что убила человека, а о не выключенном газе под кастрюлями.

Мои рабочие уже должны были вернуться. Жора с ними, значит, он все выключит и накормит их. Того, что лежал в крови под кустами, они заметить не должны. Неизвестно, сколько пройдет времени, прежде чем его найдут.

Выключить телефон я пока не могла: мы должны были держать связь с Олей.

Я снова позвонила Матвею. Попросила помочь найти временное жилье, хотя бы на сутки. Он продиктовал адрес, я вызвала такси, позвонила Оле, сообщила, куда еду, сказала, что мне нужно избавиться от сим-карты, по которой меня можно вычислить, и отключила телефон. Сим-карту я выбросила в лесу, а сама выбралась на трассу, дождалась такси и поехала в Крылатское.

Отдавала ли я себе отчет, что своим звонком подставляю Матвея? Конечно. Я убийца, если меня будут искать, все мои звонки вычислят обязательно. Как-никак я все вечера смотрела сериалы и кое-что понимала в этих делах.

И все-таки я надеялась, что все обойдется. Хотя бы потому, что камень, которым я убила зверя, я прихватила с собой.

Валентина

Я не верила в эту байку, тем более что ее успели растиражировать по всему интернету и подавали то под одним, то под другим соусом.

Да и наткнулась я на нее совершенно случайно — хотелось узнать что-нибудь новое о перевале Дятлова. Провалилась в интернет и просто открывала сайт за сайтом в поисках подробностей странной гибели студентов-туристов.

Конечно, я обыкновенный человек, отношения к этим событиям не имею, но почему-то хочется узнать, что с ними случилось. Думаю, дело в тайне, которая окутывает эту историю. Как вышло, что все они оказались далеко от палатки, да еще раздетые? Холод страшный, они спали в палатке с печкой. Ладно, пускай раздеты именно поэтому — в палатке было тепло, даже жарко. Но дальше случилось что-то ужасное. Причем это произошло мгновенно, они не успели даже одеться.

А почему они вспороли ножом палатку изнутри, почему не воспользовались выходом? Что там было — шнуровка или молния, не знаю, об этом нигде не было сказано. Итак, они выбрались раздетые на мороз и что-то увидели. Но кто же разбросал их тела по кругу с радиусом в несколько километров? И почему у всех был такой вид, как будто им явилось что-то невероятное? Они словно мгновенно застыли в таких позах. Понятно, что если бы они умирали от холода, то скрючились бы, поджали колени, обняли себя руками. Их позы говорили о другом: они погибли мгновенно.

Эта тема занимает меня давно. Я пересмотрела множество фильмов о перевале Дятлова, перечитала беседы с немногими оставшимися в живых свидетелями. Постепенно, конечно, картина стала вырисовываться. Но верить в то, что группа Дятлова случайно попала в район, где проводились какие-то секретные испытания, не хотелось. Воображение требовало инопланетного корабля и самих инопланетян.

Именно так, гуляя по ссылкам гугла, я наткнулась на фотографию Тисульской принцессы. Я увеличила ее и была потрясена сходством с моей Аней. Наверняка я забыла бы об этом, если бы Аня не пропала из поля моего зрения. Но ее не было. Пришлось даже найти телефон наших питерских соседей, Трапезниковых, и спросить, не видели ли они Аню. Надо же, по словам соседки, Аня с мужем уехали, и давно.

С мужем. Очередной приятель или на самом деле муж? Я вспомнила, что незадолго до того, как исчезнуть, Аня прислала мне на телефон снимок, где она была на фоне витрины. Прямо за ее спиной стоял молодой мужчина. Он был так красив, что я приняла его за деталь оформления этой самой витрины. Растрепанные ветром смоляные волосы, мужественный профиль, легкий загар, впалые щеки. Голубая рубашка, синие джинсы, сигарета.

Муж?

В Питер ехать бессмысленно, ее там нет. Если бы она жила в нашей квартире, соседка видела бы ее. Тогда где же она? Да где угодно. Но надо знать мою сестру.

Я открыла карту и стала искать деревню Р. Тисульского района Кемеровской области. Что-то подсказывало мне, что моя сестра там, живая или мертвая. Иначе как могло случиться, что она оказалась в древнем мраморном саркофаге?

В том, что это она, я уже почти не сомневалась. Как я ни увеличивала снимки, повсюду я видела свою сестру. Она лежала под водой, лицо было видно отлично. И закрытые глаза — ее глаза.

Кто их закрыл, я должна была выяснить. Аня была мертва. Смерть — единственная причина, по которой она перестала заботиться обо мне, присылать открытки и деньги.

Аня — человек сильный, выносливый, волевой. Если она исчезла, значит, ее нет, как ни трудно мне в это поверить. И кто, если не я, единственный близкий ей человек, должна во всем разобраться. Даже отомстить, если нужно.

Может, я и сомневалась бы, стоит ли ехать в Кемерово, если бы не Олин рассказ об этой Тисульской принцессе. Это ли не знак? Как вообще могло случиться, что малознакомый человек, оказавшийся рядом со мной, затеял этот разговор о принцессе? Помню, она начала с какой-то женщины, которую закопали живьем, не подозревая, что та заснула летаргическим сном. И вдруг — деревня Р. и слово «саркофаг», которое прострелило мне сердце. Точно, это был знак, что я мыслю в правильном направлении.

Но одно дело мыслить, а другое — действовать. Для такой дальней и, скорее всего, опасной поездки нужны деньги, и немалые. Где их взять? Попросить у шефа, Миши Пелькина? Он, конечно, добрый, но не настолько, чтобы дать официантке взаймы две тысячи евро — приблизительно столько, по моим скромным подсчетам, потребует это путешествие. Кредит? Я никогда не брала кредит и вообще боялась этого слова, вернее, этой печальной зависимости от банка. Но даже если мне удастся его взять, как я буду потом расплачиваться с банком? Мне нужно платить за квартиру и как-то жить, вряд ли получится каждый месяц выкраивать деньги на погашение долга.

Думаю, отчаяние было написано на моем лице, иначе с чего бы Оле, вернувшейся с работы на час позже меня, спрашивать с порога:

— Что случилось?

Я пожала печами и хотела отмолчаться, но Оля не позволила.

— На работе что-нибудь? Снова маньяк?

Прошло всего три дня, как мы переехали на Цветной бульвар. Каждый раз, когда звонил колокольчик, извещавший о приходе нового гостя, я резко оборачивалась, чтобы взглянуть, не маньяк ли пожаловал.

К счастью, я больше не видела его никогда. Уехал? Или просто переключился на какую-нибудь другую жертву, на женщину, виновную только в том, что тоже отказала ему? Мы, женщины, никогда не поймем мужчин хотя бы потому, что природа избавила нас от этой болезненной зависимости от противоположного пола.

Но странное дело: я не переставала ненавидеть этого своего врага за то, что он изрядно потрепал мне нервы, а с другой стороны, была ему даже благодарна. Ведь это он причастен к тому, что я оказалась в прекрасной квартире в центре Москвы, да еще познакомилась с Олей. Не будь я тогда в таком страхе, мне, может, и в голову бы не пришло впускать в свою жизнь кого бы то ни было.

Да, я всегда ценила одиночество и спокойствие, но теперь, когда у меня была Оля, оказалось, что иметь подругу очень даже приятно. Конечно, многое зависит от характера того, кто живет рядом с тобой. Так вот, с Олей мне повезло. Она была душевным человеком, рядом с которым я почувствовала себя намного более защищенной.

События этого дня лишний раз подтвердили это. Сама не знаю, как вышло, что я рассказала ей о сестре и собственных нехороших предчувствиях. Добавила еще, что, если она действительно погибла, виноват, скорее всего, этот муж, который втравил ее в какую-то авантюру. Муж, с которым я не знакома, но жажду познакомиться, чтобы призвать к ответу и отомстить.

Еще я сказала, что собираюсь занять у когонибудь денег на дорогу. Оля задумалась. В душе я улыбнулась. Откуда у этой девчонки, строчащей полотенца и простыни за копейки, знакомые с деньгами? Будь у нее серьезные покровители или друзья, она не работала бы за гроши. Но эта ее готовность помочь по-настоящему согревала.

Была у меня одна мысль, которую я гнала, — попросить денег у Людмилы Николаевны, нашей квартирной хозяйки. Пару раз я даже порывалась ее набрать, но в последний момент передумывала.

— Я подумаю, где можно раздобыть денег, — сказала Оля и потерла указательный пальцем кончик носа.

— Думаю, касса твоей фабрики вполне подойдет, — уныло пошутила я. — Возьмем?

Это была шутка в духе моей сестрицы, и сейчас я почувствовала, как мое сердце сжалось. Дурацкое выражение, согласна, но что-то с моим сердцем точно сделалось — я почувствовала щемящее движение в груди, и к горлу подкатил комок. Что-то действительно застряло в горле, мягкое и жгучее, слово одна большая разбухшая теплая слеза. Что это, если не боль потери, в которую мне так не хотелось верить!

Мне всегда казалось, что сестра будет жить долго, может быть, потому, что Аня и болезнь были понятиями несовместимыми. Она всегда была здоровой, бодрой, полной сил, с сияющей улыбкой. Да она вечная! Как она могла оказаться в этом гробу? И не просто в гробу, а в саркофаге, которому много миллионов лет? Попахивало авантюрой, и в этом была вся Аня. Только неживая.

— Говоришь, это твоя родная сестра?

Мы с Олей пили чай на кухне, и настроение у обеих было такое, как будто прямо здесь, за стенкой, стоял гроб.

— Да. Мы с ней одни на всем белом свете.

Ничего нового. О нашей неблагополучной семье и матери-алкоголичке я уже успела рассказать раньше, когда мне так хотелось выговориться, поделиться страхами и переживаниями.

— Надо действовать, искать какие-то пути. Занимать, попытаться взять в кредит!

— Кредит-то мне дадут, но вернуть его вовремя у меня точно не получится, — возразила я. — И, знаешь, не хотелось бы жить в страхе перед коллекторами, какими-то ужасными мужиками, которые станут преследовать меня, угрожать, а то и бить.

— Я спрошу у мамы, — вырвалось у Оли.

До меня вдруг дошло, что я практически ничего не знаю о ее матери. Я только заметила, что в первый раз она назвала ее «матерью», которая убьет, если узнает об аборте, а сейчас — мягким «мама».

— Она здесь, в Москве? — спросила я осторожно. Наверняка это сложные отношения, и тема может быть для Оли болезненной.

— Да, здесь. Ухаживает за одной пожилой парализованной женщиной.

Понятно, в плане денег здесь точно нет никаких перспектив.

— Не морочь ей голову моими проблемами, — попросила я. — Твоей матери и так приходится несладко. Могу себе представить, как тяжело ухаживать за больной. Не думаю, что она когда-нибудь мечтала о такой работе.

Как-то сразу нарисовалась мрачная картина: пожилая дама в инвалидном кресле, а за ее спиной болезненного вида женщина с потухшим взглядом. Такой я вообразила Олину мать.

— Она давно здесь живет, у нее есть кое-какие связи. Ладно, посмотрим.

Остаток вечера мы с Олей провели за моим ноутбуком и пытались выудить из интернета все о Тисульской принцессе. Я показала Оле Анины фотографии, чтобы она сама удостоверилась, что женщина в гробу не может быть не кем иным, как только моей сестрой.

— Фантастика! Но что, если это все-таки не твоя сестра, а призрак из прошлого?

Я не знала, что ответить на это восторженной фантазерке, верящей в инопланетян и потусторонние силы. Чтобы понять, что я чувствовала, нужно просто иметь сестру или кого-то из близких и неожиданно увидеть ее или его на фото в интернете, иначе никак. Но я до того была занята собой, что добавила, не подумав:

— Ты представь себе, что видишь сейчас не мою сестру, а свою маму. Разве ты могла бы ее не узнать?

Она нахмурилась, потом представила себе эту страшную картину и кивнула.

— Ты права, надо действовать. Вот и еще один день прошел, а мы с тобой так ничего и не придумали. Но по телефону говорить о деньгах как-то неудобно, согласись. Надо съездить к маме и поговорить.

Неудобно было отпускать ее на ночь глядя, тем более что я не знала, где ее мать живет. Но упускать такой шанс тоже не хотелось. Вдруг ее мать действительно поможет найти деньги? Единственное, что я могла сделать сейчас, это предложить Оле денег на такси, но она резко отказалась. Сказала, что такси оплатит ее мать, что она неплохо зарабатывает и всегда, когда представляется случай, помогает ей деньгами. Я поняла, что настаивать нет смысла, и отступила.

Краем уха я слышала их короткий и вполне дружелюбный разговор по телефону. Потом Оля уехала. Сейчас мне хотелось только одного — закрыть глаза и во всех подробностях представить себе поездку в Кемерово.

Ольга

— Я чувствую себя полной дурой! Ты же знаешь, я не умею врать. Удивительно, что она меня до сих пор не раскусила. Знала бы ты, как я подбиралась к этой теме. Тисульская принцесса! Чушь какая-то. Кто-то придумал эту байку, выложил в Сеть — и понеслась душа в рай. Пришлось начать с какой-то детской истории с летаргическим сном — только на ее фоне эта принцесса и могла показаться чем-то осмысленным.

— Но она же клюнула. Больше того, засобиралась туда.

— А что, если она проверяет меня и давно уже поняла, что я ее просто вожу за нос?

— И в чем заключается этот обман?

Она молчала, моя мама. Мы сидели в ее комнатке за кухней. Квартира, где она работала, была огромной, по плану здесь имелась комната для прислуги. Вряд ли хозяева готовы были предположить, что в ней так скоро поселится сиделка. Мама кормила меня теплыми оладьями со сметаной. Почему-то всегда считала, что я голодная, и старалась меня накормить.

— Лучше расскажи, зачем я все это делаю, — допытывалась я.

— Я же уже сказала: придет время, и все узнаешь.

С тех пор как она стала работать в этом доме, она успокоилась, даже поправилась. Я знала, что пока мне не о чем беспокоиться. Мама живет в комфорте, сыта, при деньгах. После всего пережитого эта ее работа казалась спасением. Но знала я и то, что мама до сих пор живет в страхе и что шарахается всякий раз, когда видит полицейского. Она думает, что ее ищут. Понятно, она же убила человека. Нет, не совсем человека — насильника. Честно? Я до сих пор не понимаю, как могло случиться, что он набросился на Катю и изнасиловал ее.

Катя. Когда я думаю о ней, мне становится не по себе. Вся моя жизнь рядом с ней кажется чем-то нереальным, страшной фантазией или дурным сном. В тот день она хотела встретиться с моей мамой, чтобы поговорить о небольшом «бизнесе» — Катя украла на фабрике десять полотенец и хотела их продать. Были и другие украденные вещи: простыни, наволочки, покрывала. Она решила, что лучше всего поговорить о реализации всего этого добра с матерью, женщиной практичной, умной и со связями. Я сразу попросила, чтобы меня в это не впутывали, я-то ничего не украла, характер не тот, и спать хочу спокойно. Вот она и решила действовать самостоятельно — встретиться с моей матерью и предложить ей товар.

Мы все тяжело жили, мало зарабатывали и не видели впереди никакой перспективы, разве что замужество. Но чтобы выйти замуж, нужно хорошо выглядеть, а для этого тоже нужны деньги. Вот Катя и придумала способ дополнительно заработать.

Вероятно, этот (назову его Иваном) тоже зачем-то отправился к моей матери. Может, хотел купить выпивку и сигарет. И надо же было им всем встретиться, Кате и этим изголодавшимся мужикам! Инстинкты взяли верх, и они набросились на нее.

К счастью, она осталась жива, но до сих пор остается в реабилитационном центре. Время от времени мы с мамой ее навещаем. Само собой, она не знает, что мама убила этого Ивана. Хочется думать, что рано или поздно эти душевные раны затянутся и она вернется к нормальной жизни — мы с мамой поможем. Но как моей маме жить с убийством на сердце? Она ничего об этом не говорит, но я уверена, что спит она плохо, а когда засыпает, видит во сне этого мертвого Ивана. Брр.

Я доела оладьи, откинулась на спинку кресла и вздохнула. За окном была ночь, надо было возвращаться домой, к Вале, и не с пустыми руками, а с деньгами или хотя бы с хорошими новостями.

— Мама, но она хочет две тысячи евро! Это большие деньги, она вряд ли их вернет, поэтому и не хочет брать кредит. Что ты задумала?

— Мы должны вложиться в эту девочку. Две тысячи евро — не такая уж большая сумма. Главное — приручить ее к себе. Пусть пока ест с твоей руки, а потом... Потом ты сама скажешь мне спасибо за все. Только запомни: не вздумай с ней конфликтовать. Терпи все, даже если у нее ужасный характер. Постарайся выучить ее привычки, узнай, что она любит или терпеть не может. Будь гибкой, умной, милой и доброй.

— Хватит уже инструкций! — взорвалась я. — Все это я уже слышала. Если я не буду знать, зачем все это, то как я пойму, каким образом с ней общаться? А что, если она мошенница и сама пытается обмануть меня? Давит на жалость, выдумывает какую-то ерунду о сестре в мраморном гробу. Вот откуда она взяла, что эта девица — ее сестра? Может, просто похожа. И с чего бы ей быть в этой тьмутаракани? Даже подсчитала, сколько денег нужно на дорогу. Две тысячи евро — не многовато ли?

— Не думаю, что она пытается тебя разжалобить. Она не такая.

— А ты-то ее откуда знаешь?

По взгляду, которым мама меня смерила, я поняла, что об этом она ни слова не скажет, нечего и надеяться.

— Ладно. — Я махнула рукой. — Говори, что теперь делать. Собираешься дать ей эти деньги?

— Само собой, — сказала мама таким тоном, словно вся сумма лежала у нее в кармане.

— Не поняла.

— Займу у хозяев, — как-то туманно произнесла она.

— И тебе дадут? Одолжат?

— А куда денутся? Они без меня как без рук.

О ее хозяевах я не знала ничего, а когда однажды попыталась расспросить, мама ясно дала понять, что меня это не касается. Да, моя мать умеет не болтать лишнего. Но, кажется, она права: отношение к ней в этом доме было таким, что, попроси она и большую сумму, ей не откажут.

— Постой, — вдруг очнулась я. — А если Валя не вернет эти деньги — а она точно их не вернет, я знаю, — как ты будешь выкручиваться?

— Буду выплачивать по частям. — Она невозмутимо пожала плечами.

Теперь я поняла. Никаких денег она занимать не будет, они у нее есть. Она просто их скопила.

Конечно, на что ей тратить? Она живет на всем готовом, ничего себе не покупает, разве что мне денежек подкидывает.

Не мне ее осуждать. Окажись я на ее месте, в чужом жестоком городе, какой для нас стала Москва, я тоже бы осторожничала. Все это не потому, что она не доверяет мне, вовсе нет. Просто она боится, что я проговорюсь, выдам Валентине, на которую мы собирались поставить, как на лошадку, наши корыстные планы.

А планы точно были корыстными. Ясно, что все крутилось вокруг денег. А может, она все-таки была нашей родственницей? Вдруг действительно сестра?

— А если я пойму, что она мошенница? Или мы поссоримся — что будет тогда?

— Тогда я решу, что ты все испортила. Что ты глупая и бестолковая, — как-то совсем уж отчаянно ответила мама. — Из-за чего вы можете поссориться? Человек она мягкий, покладистый.

Снова она намекает, что они знакомы. А спросить ни о чем нельзя.

— Она раздражает меня тем, что ей все просто падает в руку.

— Что именно? — Мама задержала на мне взгляд — как человек, который боится услышать то, что может его разочаровать.

— Ей всегда везет! — сказала я первое, что пришло в голову.

Мама усмехнулась уголком рта, покачала головой и тихонько вздохнула — с облегчением, как мне показалось.

— Да! Сначала ей повезло, что она родилась красивой и здоровой. Потом — что устроилась в кондитерскую, откуда приносит пирожные, о которых некоторые и мечтать не могут.

— Ты сущий ребенок! — рассмеялась мама.

— Ей повезло со знакомой, которая поселила ее в свою квартиру.

— Но ведь и ты там живешь, значит, тебе тоже везет. — Маме пришлось даже прикрыть рот рукой, чтобы приглушить смех.

— А еще у нее всегда есть деньги. Пусть не так уж много, зато каждый день. Она может позволить себе купить все, что захочет, — любые духи, косметику, еду. Ты бы видела, какие у нее духи! Целая коллекция. Еще она покупает краски и дорогую бумагу для акварели. Она же еще и рисует...

— Так откуда у нее деньги?

— Чаевые. Говорю же: ей везет.

— Она раздражает тебя? Тебе трудно с ней?

Мне показалось или мама действительно бросила на меня сочувственный взгляд?

— Она мне нравится, она хорошая. Просто меня злит, что ты ее откуда-то знаешь и не хочешь ничего рассказать. Зачем ты нас познакомила? Что тебе от нее нужно?

— Значит так, Оля. Возвращайся к ней и скажи, что я, твоя мама, позвонила какому-то своему знакомому и мне обещали уже завтра дать деньги. Без процентов, на два месяца. А если на полгода, то под небольшие проценты — пусть будет десять. Она согласится, вцепится в этот заем. Первые несколько минут будет колебаться, прикидывая, сможет ли вернуть долг. И вот тогда-то ты и скажешь, что у тебя во Владимирской области есть небольшой дом, который ты готова заложить. Дом в деревне, мы потом придумаем название. Здесь мы немного потянем, чтобы вся эта история с займом выглядела более естественной, понимаешь? На это уйдет дня два, не больше. Я подготовлю все документы, которые надо будет подписать.

— Документы будут фальшивыми, да? А что, если она поймет?

— Олечка, дочка, ей незачем будет их читать. Они будут касаться только тебя, ведь это ты закладываешь свой дом. Ты совершаешь подвиг, подвергаешь себя риску остаться без дома в случае, если она не выплатит долг. Тем самым ты привяжешь ее к себе еще больше.

— А что, если она возьмет деньги и исчезнет?

— Думаю, сразу же после того, как ты подпишешь документы и передашь ей деньги, она сама... Впрочем, не будем торопить события. Все, хватит об этом. Подожди, я дам тебе кое-что.

Мама встала, подошла к шкафу и достала пакет, который явно дожидался меня.

— Держи. Здесь продукты, свитер, который я все-таки закончила, еще кое-что по мелочи. Тебе понравится. И вот. — Она сунула мне в руку несколько пятитысячных банкнот. — Сейчас я вызову тебе такси. Ты все поняла, Оля?

— Поняла.

Я клюнула мать в щеку и попутно отметила, что от нее хорошо пахнет. Да и вообще она в последнее время выглядела очень даже ничего — привела себя в порядок, приоделась. И утомленной я ее не назвала бы. Получается, что, ухаживая за больной, она тратила куда меньше сил, чем в том жутком месте, где ей приходилось обстирывать и кормить строителей, варить самогон, набивать табаком сигареты, выращивать овощи, клеить обои и красить стены. Да, и зарабатывать всем этим намного меньше, чем сейчас.

— Не сердись, все будет хорошо. — Она подбодрила меня улыбкой, и я улыбнулась в ответ.

Уже в такси, мчась по широким пустынным проспектам, я подумала, что была несправедлива по отношению к Вале, когда сказала, будто новая подруга меня раздражает. Просто я хотела выудить из матери хоть какие-то сведения.

Кто спорит, Валентине везло, и бог действительно одарил ее талантами. Но она была одна, совсем одна, и неизвестно, что на самом деле стало с ее единственной сестрой. А у меня была мама, и этим все сказано. Получается, это мне повезло больше, а значит, мне, а не Валентине следует благодарить судьбу. Благодарить еще и за то, что теперь у меня помимо мамы была и сама Валентина, которая заботилась обо мне. Она-то действительно заботится обо мне искренне, в отличие от меня.

Не знаю, зачем я сказала о чаевых, просто брякнула первое, что пришло в голову. На самом деле меня волновали вовсе не ее чаевые, а сама Валентина. С каждым днем она раскрывалась передо мной все полнее и все равно оставалась загадкой. Конечно, она была красивой, но еще обладала каким-то особым магнетизмом, энергией, которая подпитывала всех, кто оказывался рядом. Это мне повезло, что я очутилась так близко к ней. Не будь это знакомство и все, что стояло за ним, постановкой, я была бы счастлива иметь такую подругу, как Валя. Тогда мое желание помочь ей было бы даже еще сильнее.

Ночная Москва сияла огнями и уже не казалась мне такой зловещей, готовой проглотить меня, уничтожить. Она словно распахнула свои объятия и приняла меня под крыло. С таким ощущением я возвращалась тогда домой. Именно домой, и то, что квартиру на Цветном бульваре я уже считала домом, было заслугой Валентины. Это она наполнила все вокруг спокойствием и уютом.

Она не спала, когда я открыла дверь. Читала, слушала какую-то странную музыку. Музыка была красивой, спокойной, хоть и грустной.

— Гитара? — Я села рядом с ней на диван и поежилась от холода. Думаю, это был нервный озноб, потому что июльская ночь была очень теплой.

— Лютня. — Она улыбнулась одними губами и отложила книгу. — Как мама? Здорова?

— Да, все в порядке.

Дальше я выложила все, что касалось денег.

— Без процентов? Неужели еще существуют такие люди?

— Это какой-то ее хороший знакомый. — Я старалась не смотреть ей в глаза: стыдно было за свое вранье.

— Знаешь, это судьба. — Она очнулась, расправила плечи, потянулась всем телом. — Раньше, ты помнишь, я боялась, что не смогу вовремя отдать долг, но теперь я так не думаю. Знаешь почему?

Теперь была моя очередь улыбаться. Итак, она готова действовать, готова принять деньги. Глаза ее заблестели, на щеках появился румянец.

— Почему?

— Если все правильно распланировать и кое в чем себе отказывать, то заработанного в кафе мне вполне хватит и на погашение долга, и на жизнь. И потом, если моя сестра все-таки жива, а я собираюсь в эту тьмутаракань, чтобы найти ее живой, а не для того, чтобы отомстить за ее смерть, в которую не хочу верить... Так вот, если она жива, она мне поможет. У нее всегда водились деньги, она умеет их зарабатывать. В крайнем случае можно будет договориться с этим человеком, знакомым твоей мамы, и попросить продлить срок, чтобы ежемесячный взнос был не таким уж большим. — Она заглянула мне в глаза. — Ты хотя бы понимаешь, как много ты для меня делаешь? Ни один человек на свете, кроме сестры, конечно, не дал бы мне такую гигантскую сумму. Выходит, ты полностью мне доверяешь.

— Конечно. — Я почувствовала, что у меня начинают гореть уши.

— Но и ты знай: вдруг я когда-нибудь разбогатею, стану, скажем, известной писательницей или художницей, я тоже не оставлю тебя. Можешь всегда на меня рассчитывать.

Блеснула мысль: что, если моей матери известно что-нибудь о талантах Валентины? К примеру, она написала картину, продала ее по дешевке какому-нибудь иностранцу, а потом выяснилось, что это настоящее произведение искусства, что ее, гениальную художницу, теперь ищут, как какую-нибудь драгоценность? Или написала роман, который где-нибудь в Европе разошелся бешеным тиражом?

Слова «если я когда-нибудь разбогатею, стану известной писательницей или художницей» прозвучали сейчас как доказательство окончательного доверия, как призыв к сближению.

— Ты уже что-нибудь публиковала? — спросила я хриплым от волнения голосом.

— Конечно. Писала какие-то статьи для журналов, рассказы, правда, получала за это сущие копейки. Но я умею писать, у меня получается, мне бы только найти интересную тему. Вот поедем в эту деревню Р. Тисульского района, осмотримся, постараемся найти свидетелей. Может, придумаем что-нибудь от себя, напустим туману...

Я ушам своим не поверила. «Поедем», а не «поеду» — я не ослышалась? Это прозвучало как приглашение? Нет, она произнесла это так, как если бы была в самом деле уверена, что в далекое путешествие мы отправляемся вдвоем. Ах, если бы это было так.

— Ты хочешь, чтобы я поехала с тобой? — Я даже зажмурилась, так легче будет услышать, что я все неправильно поняла.

— А ты не хочешь? — растерянно пробормотала она и прикусила губу. — Не можешь? Прости, мне даже и в голову не пришло, что ты можешь отказаться.

— Я — не хочу? Да что ты! Конечно, хочу. Просто я не была уверена, что ты позовешь меня с собой.

— Ты даешь, подруга! А иначе зачем столько денег? Конечно, хотела и хочу, чтобы мы поехали вместе. Это интересно, и потом, признаюсь честно, страшновато как-то одной. Но если не можешь, скажи. Я-то все равно поеду. Только тогда и денег понадобится меньше.

В эту минуту я была счастлива. Получалось, что эта поездка не только укрепляла нашу дружбу, о чем так мечтала мама, но и обещала стать настоящим приключением. Что я, в самом деле, видела, кроме тирана-отца, огорода и душной фабрики? Впервые в жизни я отправлялась в настоящее путешествие, да еще вместе со своим кумиром.

— Конечно, я поеду с тобой! Возьму отпуск за свой счет на фабрике, и поедем.

— Уф, прямо гора с плеч. Значит, решено. Теперь все зависит только от того человека, который обещал одолжить деньги. Хоть бы все получилось!

Она сжала кулачки и закружилась по комнате. От радости я и сама готова была воспарить к потолку.

Валентина

В ту ночь я долго не могла уснуть. Мечтала, как мы поедем в Кемерово. Выяснила, сколько стоят билеты на поезд — плацкарт около восьми тысяч, купе — почти двенадцать. Поскольку я понятия не имела, что нас ждет в этом далеком крае, как все сложится, сколько времени мы там пробудем, где будем жить и как искать Аню, следовало экономить. Словом, я решила, что нужно покупать билет в плацкартный вагон.

Ехать нам предстояло два дня и шесть часов, значит, надо взять еду в дорогу. Это даже не из-за экономии, просто я не доверяю ресторанам с сомнительными продуктами. Но что можно взять в такую жару? Все протухнет, пропадет. Разве что какие-нибудь каши быстрого приготовления: залил кипятком — и готово.

Я даже попыталась узнать что-нибудь о Кемерове и Тисульском районе, но после нескольких строк («занимает ведущее место среди золотосодержащих районов области, на его долю приходится 56% разведанных запасов золота, 80% серебра, 87% редкоземельных металлов платиновой группы, 99% металлов титаноциркониевой группы») меня потянуло в сон.

Надо же, приснился какой-то золотоносный рудник, глубокий и темный, полный фантастических существ. В глубине на цепях раскачивался хрустальный гроб, а в гробу сидела моя сестрица в футболке и джинсах и курила папиросу. «Какого черта ты здесь делаешь?» — спросила она и выпустила дым через ноздри.

С деньгами, конечно, получилось не так просто. Дружба дружбой, а тот крендель, что пообещал дать в долг, очнулся и потребовал от Олиной матери каких-то гарантий. Выяснилось, что гарантий никаких и нет — в том смысле, что нет ничего ценного, что можно было бы заложить под этот кредит.

Оля тоже расстроилась. Видно было, как она переживает. И надо же, вдруг признается, что во Владимирской области у нее есть небольшой дом. Какое-то наследство, доставшееся ей, как я потом узнала, от ее настоящего отца. Я, конечно, старалась не задавать лишних вопросов. Подумаешь, мать вышла замуж, будучи беременной от другого, такое случается сплошь и рядом. Может, ее отец потому и стал тираном, что знал тайну ее рождения и никак не мог успокоиться и мстил жене.

Меня, человека постороннего, эта семейная история не касалась. Да и в какой семье нет тайн. Если Оле был известен хоть один эпизод из биографии моей сестры, вряд ли она связалась бы со мной.

Моя сестра — личность неординарная, фантастическая, в какой-то степени опасная. Окажись Аня сейчас на моем месте, она взяла бы денежки, и только ее и видели. И уж точно она не стала бы покупать билет в плацкарт. Она раздобыла бы денег любыми путями, какие мне и не снились, и купила бы билет в купе люкс. У нее всегда и все должно быть люкс. Вот только как она умудрилась оказаться в этом люксовом гробу?

И еще один вопрос не давал мне покоя. Кто сделал тот самый первый снимок, который потом растиражировали, чтобы привлечь внимание к Тисульской принцессе?

Оле пришлось отпроситься с фабрики и отправиться во Владимирскую область за какими-то документами, подтверждающими ее права на дом. Наконец настал день, когда она должна была привезти деньги.

— Знаешь, я не могу вот так, без всякой расписки, взять у тебя такую сумму, — сказала я. В душе я восхищалась поступком подруги, решившейся заложить ради меня свою единственную недвижимость. — Думаю, будет правильно, если ты попросишь того нотариуса, который помогал тебе оформить кредит, составить документ, где говорилось бы, что ты даешь мне в долг две тысячи евро, а я обязуюсь вернуть тебе эту сумму в течение года.

Оля поначалу отказывалась, но потом согласилась. Сразу дала понять, что будет считать эту расписку формальностью. Больше того, сказала, что и сама примет участие в погашении долга, поскольку едет вместе со мной в Кемерово. На это я лишь покачала головой. Какое погашение, если на своей фабрике она не зарабатывала и двадцати тысяч. Не знаю, как бы она жила, если бы ей время от времени не помогала мать.

— Держи, можешь пересчитать! — Оля положила передо мой стопку купюр. — Здесь ровно две тысячи евро.

Я счастливо вздохнула. Мне, сестре профессиональной мошенницы, невольно подумалось, что деньги могут быть фальшивыми. Оля словно прочла мои мысли:

— Они настоящие. Он получил их в банке, я все видела.

— Спасибо тебе, Олечка. — Я потянулась, чтобы обнять ее, она как-то неловко покачнулась, взмахнула рукой, и деньги разлетелись по всему столу. Несколько купюр упало на пол.

— Ты обещала принести расписку, которую я должна подписать, — напомнила я. — Иначе отнесешь эти деньги тому, у кого взяла.

Хотелось, чтобы она увидела во мне человека честного и благородного.

— Ладно. — Она вздохнула и достала из папки бумаги, принялась листать. — Представляешь, сколько всего пришлось подписать, чтобы получить эти деньги?

Наконец, передо мной лег лист, который я не глядя подписала.

Оля взяла его в руки и вдруг расхохоталась.

— Ты подписала черновик нашего с ним соглашения. Так, сейчас. Минуточку.

Появился другой листок. На этот раз я пробежала его глазами. Оля! Конечно, она давала мне не год, а два на погашение долга.

— Спасибо, — еще раз от души поблагодарила я.

— Все будет хорошо, — сказала она, и я поняла, как она горда хорошо проделанной работой.

Два следующих дня были полны хлопот. Оля написала заявление об отпуске, потом мы с ней отправились в банк менять часть денег на рубли. Купили билеты на поезд (как-то весело и легко решили, что это будет купе) и кое-что в дорогу.

И вот, наконец, уставшие, но счастливые, мы сидим в купе и тихонько радуемся, что нас пока двое. Поезд тронулся, но к нам так никто и не подсел. Это было настоящее счастье. На какое-то время я даже забыла, куда и зачем еду. Показалось, что мы с подругой просто отправляемся в отпуск. Думаю, причиной моего легкомыслия была сама Аня. В глубине души я, конечно, надеялась, что увижусь с сестрой уже совсем скоро.

Поездка была хоть и долгой, но комфортной. Мы готовили салаты из помидоров и огурцов, заваривали кипятком вермишель и каши, покупали у разносчиц свежие булочки и пили чай с лимоном. Спали, болтали, читали, разгадывали кроссворды. Только когда за окном поплыла зеленая тайга с овальными зеркалами озер, отражающих голубое небо, мы, завороженные, замолчали.

Сибирь! Куда мы едем? Зачем? Мне вдруг стало страшно. Что, если моей сестры там никогда не было и фото девушки в саркофаге не имеет к Ане никакого отношения? Что мы там будем делать?

Конечно, мы договорились, что скажем любому, мол, я пишу книгу о Тисульской принцессе. Опросим всех без исключения жителей деревни Р. Я так и буду представляться: писательница. И все, поездка будет оправданна. А может, это и есть судьба? Когда бы еще я собралась в такую глушь?

Не выдержав, я поделилась своими опасениями с Олей.

— Ты даешь, подруга, — рассмеялась она. — Думаешь, я поверила, что мы едем спасать твою сестру? Конечно, она жива и здорова! А вот книгу ты точно напишешь. И я тебе помогу. Возьму на себя все хлопоты, освобожу тебя от всего, что отвлекает, чтобы ты могла только писать. Ты же творческая личность, я все понимаю.

Я смотрела на нее во все глаза и спрашивала себя, за что судьба подарила мне такого человека, такую подругу. Если не считать сестру, меня всегда окружали чужие люди. Конечно, среди них встречались такие, как Людмила Николаевна или мой шеф Миша Пелькин. Но все равно они были чужими. Никто из них не был способен отправиться со мной в Сибирь в путешествие, которое, как в сказке, вело нас туда, не знаю куда, где есть то, не знаю что. Зато Оля, которая появилась в моей жизни совсем недавно, готова поддержать мою самую нелепую затею. Пожалуй, впервые в жизни я поняла, что такое настоящий друг.

В пять утра мы прибыли в Кемерово. Проплыли пригороды, город, потом показалось выкрашенное бирюзовой краской здание вокзала.

У меня было чувство, будто я сплю и вижу сон. Если бы я знала, сколько всего мне придется здесь пережить, не исключаю, что я уговорила бы Олю сразу взять билет обратно в Москву. Увы, никто не может знать своего будущего. Не знали его и мы.

Действовали мы так, как и положено гостям. Очень вежливо обратились к водителям машин, припаркованных здесь же, на привокзальной площади, и попросили довезти нас до Р. Мы знали, что от областного центра до этой деревни около двухсот километров, знали, что бензин будет стоить восемьсот рублей, а потому были приятно удивлены, когда один из водителей согласился довезти нас за полторы тысячи.

Поселок Р. был маленьким, всего несколько домов, со всех сторон окруженных густым лесом. Даже представить трудно, что кто-нибудь из местных жителей может толком рассказать что-то о Тисульской принцессе. Судя по всему, здесь и жители все преклонного возраста, вряд ли они что-нибудь помнят. Меня охватил страх. Я почувствовала себя настоящей колдуньей, заманившей наивную Олю в эту зеленую глушь.

Мы расплатились с водителем и пошли по улице, рассматривая дома, огороды, сады, вдыхая изумительный хвойный воздух. Прошли всю деревню и остановились перед новым двухэтажным домом. Вывеска на нем у обеих вызвала смех: «Отель».

— Что ж, это обнадеживает, — сказала я Оле. — Гостиница в такой деревне — уже признак того, что здесь бывают гости. Куда они, спрашивается, приезжают? Зачем? Туристы?

— Конечно, туристы! — воскликнула Оля. — Приезжают посмотреть на твою принцессу.

Мы поднялись на высокое крыльцо, открыли тяжелую дубовую дверь и оказались в красивом холле, устланном красным узорчатым ковром. На ресепшен с вязаньем сидела молодая женщина. Увидев нас, она улыбнулась так, как если бы увидела неожиданно свалившихся с неба долгожданных родственников. Встала, отложила вязанье.

Я поздоровалась, попросила номер.

— Надолго к нам? — Администраторша разглядывала нас с удивлением, словно сама не верила, что в ее пустующий отель кто-то заглянул.

— Как сложится, — уклончиво ответила я. — А здесь еще кто-нибудь есть?

— Есть. — Мне показалось, что она солгала. — Вы отдохнуть?

— Можно сказать и так. Хотим взглянуть на ваши красоты.

— Что ж, добро пожаловать.

У меня была возможность разглядеть ее. Совсем не деревенская женщина, уж будем откровенны. Ухоженная, с тщательно наложенным гримом, с простой, но благородной прической, которая подчеркивала ее культуру и говорила о хорошем вкусе. Она встала, чтобы забрать с деревянной панели на стене ключи, и мы с Олей переглянулись. Темное шелковое платье, облегающее стройную фигуру, было идеальным. Кто она такая? Хозяйка?

— Вы хозяйка? — Оля в очередной раз прочла мои мысли. — Вы не очень похожи на деревенскую жительницу.

— Да, мы с мужем владельцы этой гостиницы. Меня зовут Кира. Теперь, когда мы практически разорены, — она горько усмехнулась, — когда все поняли, что в этой дыре ловить нечего, нам остается только подсчитывать убытки. Но поскольку идея гостиницы принадлежала мне, стало быть, я во всем виновата. Вот теперь живу здесь в наказание.

— Вы серьезно? — Оля захлопала ресницами.

— Уж куда серьезнее. Но ничего, без мужа, знаете ли, я почувствовала себя даже лучше. Спокойнее, что ли. Раньше переживала, когда поток туристов схлынул. Думала, придется сдавать комнаты только редким рыбакам и охотникам. От нервов у меня даже лишаи появились на теле, да-да! А сейчас, когда муж меня бросил и больше не на кого рассчитывать, только на себя, я меньше переживаю.

— Но чтобы содержать даже такой небольшой отель, все равно нужны средства. — Я тоже вступила в разговор.

— Поверьте, почти нет. Горничных я уволила, в номерах убираю сама, постельное белье стираю тоже сама. Остается платить за коммунальные услуги, но они невелики.

Она оказалась словоохотливой, но мы слишком устали. Не терпелось поскорее оказаться в номере, принять душ и выспаться.

Брелок с ключами от номера, как и остальные брелоки, висящие в ряд за Кириной спиной, оказался грушей из чистого янтаря.

— Нет, это точно не пластмасса. — Оля даже попробовала грушу на зуб. — Настоящий янтарь, дорогая штуковина. А там этих груш — ты обратила внимание? — не меньше пятидесяти. Вроде гостиница небольшая, а номеров много.

Мы поднялись на второй этаж. Роскошь и богатство бросались в глаза: толстые ковровые дорожки, картины на стенах, хрустальные светильники, оконные витражи.

В двухместном номере было уютно и прохладно, наверное, Кира какой-то волшебной кнопкой успела включить кондиционер. Тяжелые парчовые портьеры на высоких окнах, роскошные покрывала, белоснежная мебель. В баре-холодильнике полно напитков.

На журнальном столике высилась стопка рекламных проспектов, к которым мы бросились не сговариваясь.

Вот что я прочла в первой брошюре: «Каштарский острог, укрепленный пункт, созданный на юго-востоке Тисульского уезда в конце XVII века для охраны первых серебряных промыслов Сибири.

Расположен на реке Каштар, притоке реки Тисуль. В 1696 году для сбора ясака в порубежных волостях томский воевода Ржевский отправил боярского сына Тупальского. Мышан Кайлачаков указал ему местонахождение серебряной руды. В августе 1697 года греческий мастер Левандиан с сыном боярским Лавровым и восемьюстами служилыми людьми отправились из Москвы к верховьям реки Каштар, где была обнаружена руда».

Оля зачитала фрагмент из другой брошюры: «На территории района обнаружены памятники неолита, бронзового и железного веков. В их числе неолитические стоянки и поселения, а также множество курганных могильников. Находки археологов позволяют проследить историю материального производства на протяжении тысячелетий. Всего на территории района выявлено 92 археологических памятника. Самые известные из них: ягуня-могильник, расположенный на поле между селами Тамбар и Пичугино, серебряковский и тисульский могильники и другие памятники тагарской культуры».

Потрясенные, мы опустились на диван. Что же это получается — здесь слыхом не слыхивали о Тисульской принцессе? Выходит, муж этой Киры, предприниматель, построил шикарную гостиницу в сибирской глуши — и все ради чего? Ради развалин старого острога и заброшенных серебряных рудников? Или все делалось на государственные деньги и муж Киры просто выиграл тендер на строительство гостиницы в Сибири по проекту развития местного туризма? Или здесь все еще ходят искатели серебра?

— Серебро? — Я повернула голову к Оле, с задумчивым видом разглядывающей белый с золотом светильник в форме лилии.

— Может, какие-то люди нашли новые серебряные рудники?

— Ага. Или обнаружили в лесах неизвестного науке пушного зверя.

— Или ходят на охоту, убивают медведей, растапливают их жир и продают за валюту в Европу, — хмыкнула она. — Что будем делать?

— Для начала отдохнем, приведем себя в порядок и узнаем, где здесь можно перекусить.

В ванной комнате пахло апельсинами. На мраморном умывальнике выстроились в ряд флаконы с шампунями и кремами. В фарфоровой мыльнице лежал завернутый в тончайший пергамент кусок мыла.

Я стояла под душем, а прямо передо мной за прозрачным окном простиралась тайга. Не спорю, это было очень красиво, но наслаждаться пейзажем и роскошью мешала тревога. Делайте со мной что хотите, я все равно не могла понять, что могло привлечь здесь туристов. Зеленые леса? Лукошки с грибами? Медвежья охота?

С никелированного горячего змеевика я стянула пушистое полотенце того же цвета, что и лесной массив за окном, вытерлась и вышла из ванной.

Олю я застала листающей рекламные проспекты. Все никак не могла угомониться.

— Ни строчки о твоей принцессе! — воскликнула она. — Ни единого упоминания. Ноль.

— Пускай, я все равно буду писать о ней роман. Зато меня окружают настоящие декорации этой истории, понимаешь? Где еще я смогла бы вдохнуть этот чудный воздух? Увидеть эти леса, эти избы... Раз нашелся такой умник и выдумал эту принцессу, почему бы не развить его идею и не написать о ней книгу?

— Ты права. Раз уж мы здесь, надо воспользоваться этим. Не знаю, как тебе, но мне здесь нравится. Как там в душе?

— Чудесно.

Пока Оля плескалась в ванне, я уложила волосы феном, надела белую батистовую блузку, джинсы. Хотела подкрасить губы, достала уже помаду, но она выскользнула из рук и закатилась под кровать.

Нет, никакого трупа, что было бы весьма эффектно для начала романа, я не увидела, зато нашла небольшую коробку, показавшуюся мне знакомой. Фиолетового цвета, картонная, легкая, пустая. Почти пустая. Я извлекла внутреннюю часть с фиолетовым основанием.

Это был футляр из-под духов. Золотом на крышке было вытеснено: «Les Larmes Sacrées de Thebes». Я знала эту коробку и видела флакон, который когда-то здесь был, хотя не многие женщины могут себе позволить даже взглянуть на нее. Знаменитые духи «Священные слезы Фив» от компании Baccarat, такие мой шеф Пелькин собирался в свое время подарить жене. Помню, как я заглянула к нему уладить какой-то рабочий момент, и он при мне с легкостью открыл коробку и продемонстрировал флакон — пирамидку из горного хрусталя, украшенную полудрагоценными камнями.

Не знаю, какой аромат у этих духов, но вот цену я запомнила. Пелькин назвал ее с гордостью и одновременно с деланым пренебрежением: семь тысяч долларов!

У Мишиной жены, думаю, было все, разве что кроме таких духов. В кафе поговаривали, что он чем-то сильно перед ней провинился и этим подарком собирается вымолить прощение.

Сейчас я держала в руках коробку из-под таких духов стоимостью как чугунный мост и пыталась представить женщину, которая приехала в эту деревню, окропила себя этими драгоценными духами, чтобы — что? Что так манило сюда богатых людей? Что такого интересного им здесь было обещано?

Я показала Оле коробку и рассказала о духах.

— Они все приезжали сюда из-за принцессы, — с уверенностью проговорила она. — И этот отель был построен именно для тех, кто явится сюда ради нее. Не исключаю даже, что она существует, только нашлись люди, которые не хотят ее показывать.

— Что ты такое говоришь? Ее увезли военные! Единственное, что здесь можно найти, — это рассказы свидетелей, да и тех, кажется, нет уже в живых.

— А может, здесь нашли алмазы? Или золото?

В эту минуту я как раз подошла к окну и распахнула его, чтобы впустить в комнату свежий воздух. На парковке, прямо между двух ухоженных газонов, стоял джип. Не грозная машина сибирских бизнесменов, не могучий вездеход лесников, а мощный белоснежный зверь неведомой автомобильной породы.

Впрочем, как раз породу можно попытаться узнать. Я быстро спустилась в холл и сфотографировала его через прозрачную стену. В номере я открыла ноутбук, перебросила изображение с телефона и ввела его в гугл. Уже через несколько минут я знала, что этот зверь называется Wrangler Unlimited Sport и стоит больше двадцати пяти тысяч долларов.

Из машины вышел мужчина средних лет в черном спортивном костюме. К нему тотчас подбежала наша Кира. Он нежно поцеловал ее в щеку, сунул в руку объемный белый пакет, и парочка свернула за угол.

Если не муж, тогда любовник. Или брат, поскольку настоящего поцелуя не было. Так может поцеловать и родственник.

Но что он здесь делает, этот хозяин зверя? Отдыхает? Дышит воздухом? Что им всем здесь нужно?

Киры на ресепшен не было. На стойке мы обнаружили небольшой тяжелый медный колокольчик. Кира появилась через пару минут. Судя по блеску в глазах и растрепанной прическе, мужчина, от которого ее оторвал звон колокольчика, был все-таки не братом.

— Как вам у нас? Понравилось? — Она улыбнулась, и щеки стали как будто еще ярче.

— Да, все очень красиво. Нам бы перекусить.

— Можно прямо у нас. Надо спуститься вон по тем ступенькам, видите? Внизу у нас ресторан.

— Вы и готовите сами?

— Нет, готовит Андрей, наш повар. Он местный, хотя учился в Москве. У него здесь семья — три сестры и брат. Не может без них, вот и вернулся. У меня он получает символическую плату, но это лучше, чем ничего. Брат поставляет в наш ресторан дичь и рыбу, сестры — варенье, сушеные грибы, зелень. Очень предприимчивое семейство.

Мы спустились в ресторан и оказались в лесу — стены были стеклянными, хотелось рукой дотянуться до пышных еловых веток и потрогать шишки. Освещение было умеренным, умным — как раз таким, чтобы в деталях разглядеть все за стеклом.

Подошел высокий мужчина в белом фартуке, положил на стол меню.

Стоит ли добавлять, что мы были здесь единственными посетителями?

— Мы проголодались, — сказала я. — Что у вас есть?

— Борщ, жаркое, компот, пирог с голубикой. Минут двадцать нужно будет подождать.

Мы дружно кивнули.

— Постойте. — Оля не позволила ему уйти.

— Слушаю вас.

— Скажите, здесь что-нибудь слышали о знаменитой Тисульской принцессе?

Андрей расплылся в улыбке.

— И вы туда же!

— В каком это смысле?

— В прошлом году был бум. Столько туристов, все как с ума сошли! Только все это сказки. Сами подумайте: женщина в гробу... Ерунда ведь.

Я показала ему снимок в телефоне — моя сестра Аня в саркофаге.

— Вы когда-нибудь видели ее?

— Много раз. — Он кивнул.

— Где? — не спросили, скорее выдохнули мы с Олей.

— У каждого, кто сюда приезжал, была при себе такая фотография.

— Хорошо, пусть все это обман. Но ведь кого-то сфотографировали в саркофаге. Может, сохранился только саркофаг и туда кого-то положили?

— Да обыкновенный фотомонтаж. Мы же с вами взрослые люди...

— А этот отель, ресторан? Если все обман, тогда зачем было вкладываться во все это?

— Да мало ли чудаков? — криво улыбнулся Андрей и наконец скрылся за дверью кухни.

— Что-то здесь не то, — задумчиво проговорила Оля, оглядываясь. — Только представь себе, каких денег все это стоило!

Обед нам понравился. Все было свежим, вкусным, а борщ просто благоухал. Я вдруг вспомнила, какие борщи варила Аня, и расплакалась. Раскисла.

— Они все что-то скрывают, — рыдала я уже в номере.

Оле пришлось отвести меня наверх. Сейчас она достала из сумочки валерианку, протянула мне:

— Выпей, успокоишься.

Мне было так плохо, так тревожно на душе, что, казалось, и лекарство не поможет.

Через час мы вышли из отеля и отправились осматривать деревню.

Ольга

Меньше всего я ожидала такого поворота событий. Увы, все местные жители как воды в рот набрали. Никто ничего не знал о нашей принцессе. Именно это заставляло думать, что они сговорились, вот только зачем им это нужно, мы с Валей никак не могли понять. Казалось бы, все должно быть наоборот. А уж Кире прямая выгода продавать легенду наивным туристам. Но нет, все рекламные проспекты пели совершенно другие песни: острог, река, рыболовство, охота...

Мы с Валей ходили по домам, фотографировали избы и самых колоритных жителей, пытались завязать разговор. Поговорить, как оказалось, здесь любили, но только не о принцессе. Наиболее словоохотливые приглашали нас в дом — выпить чайку, попробовать варенье из черники, брусники, клюквы, купить мед или грибы, масло облепихи и расторопши, мумие, кедровые орехи. Мы пили чай, даже покупали кое-что, чтобы сделать приятное и разговорить людей, — все бесполезно, точно работал общий деревенский заговор. А может, они просто боялись?

Мы уже возвращались в отель, когда на дороге появился этот человек. Он был пьян, и я, кажется, впервые в жизни обрадовалась такой встрече. Пьяный выболтает то, о чем трезвый предпочтет промолчать.

Это был старик, лицо которого выражало такую неприязнь, словно у него вызывала отвращение сама жизнь. Пиджак потрепанный, сапоги по колено, кепка в пятнах.

— Поговорить бы надо, — сразу сориентировалась Валентина. — Где у вас можно выпить?

Прямо так в лоб и сказала, от отчаяния, наверное. Мужичок хитро прищурился:

— Москвички?

— Да, мы из Москвы. Так где можно присесть?

— А у меня во дворе и можно, здесь, через два дома.

Мы пошли за ним.

— Может, в магазин сходить, купить чего? — решилась я.

Валентина растерялась.

— Странные вы какие-то, москвичи. Думаете, мы здесь только и делаем, что пьем. — Он распахнул калитку. — Проходите!

Втроем мы вошли в просторный захламленный двор.

Старик нырнул в какую-то постройку, вынырнул с многослойной гирляндой сушеных грибов, от которых шел крепкий, ядреный дух.

— Вот купите, тогда и поговорим! Вы же не просто так из Москвы приехали. Знаю, что вам надо.

Мы с Валей переглянулись. Ловушка? Обман? Хочет заставить нас купить у него грибы, а потом скажет, что слыхом не слыхивал о принцессе?

— Послушайте, мы приехали, чтобы написать книгу о вашей Тисульской принцессе, но все вокруг как сговорились — делают вид, что ничего о ней не знают. Что случилось?

— Так куплены все, — спокойно ответил старик. — Все поголовно.

— Кто же их купил?

— Кто надо, тот и купил. А еще пригрозил, мол, будешь болтать, исчезнешь, как те, кто болтал, когда ее нашли.

— Кого ее? — спросила Валя, и я почувствовала, как у меня по макушке словно пробежал мышонок. Ощущение не из приятных.

— Дамочку эту, в сиропе, — ухмыльнулся старик.

— Так она на самом деле была?

— Почему была? — Он метнул на нас острый взгляд, как проколол. Испугал.

— Загадками говорите, дедушка.

— Да какие загадки? Она и есть. И не одна.

Признаться, сейчас я вздохнула с облегчением. Ясно, он просто морочит нам головы, чтобы мы купили его грибы.

— Послушайте, мы уже столько всего накупили, — я показала наши пакеты, — но все пока без толку.

— Дедушка, — поддержала меня Валентина, — мы и правда пойдем. А грибы свои сами ешьте.

— Как хотите. Грибы свежие, не пожалеете. А кроме меня вам никто ничего не скажет, уж я-то знаю.

— Но и вы ничего не знаете. И выпили вы сегодня много.

— Это вам все кажется — от свежего воздуха.

Разговор получался каким-то нелепым.

— Хорошо, — сдалась Валя и достала фотографию сестры. — Вот ее вы здесь видели? В вашей деревне?

Старик долго рассматривал снимок — то приближал к своим слезящимся глазам, то держал на вытянутой руке. От него так сильно пахло грибами, что я чихнула.

— Все с такими о прошлом годе приезжали: и писатели, и режиссеры, и просто люди. Тыкали в морду и просили показать, где эта дамочка лежит. Раньше я и мог показать, а сейчас нет. — Он развел руками. — Вы туда просто не пройдете.

— Что значит не пройдем? Этот саркофаг, выходит, существует?

— А вы как думали? Да если бы не эта баба, деревня бы не выжила. Одно дело — собирать грибы и ягоды, другое — продать все это. На приезжих все держалось. Вон Барышевы какой отель отгрохали! Думаете, для кого? Для туристов. Окупился за полтора года.

— Но Кира сказала... — начала Валентина, но старик только отмахнулся:

— Больше слушайте ее, ага. Такой проныры на всем свете не сыщете. Умная баба, хваткая — быстро сообразила, как деньги на всем этом сделать. Здесь и иностранцы были, и журналисты. Все повалили, как узнали...

— Что узнали? — не выдержала я.

— Что бабу эту нашли.

— Так ее в шестьдесят девятом году нашли.

— Это другая. А нашу в пещере нашли, случайно, уже два года как. Очень на ту первую похожа, один в один.

— А что полиция? Администрация?

— Все поимели, — сказал он таким тоном, словно говорил о чем-то само собой разумеющемся.

— Хорошо, — не сдавалась Валентина. — Предположим, вы говорите правду: два года назад рядом с вашей деревней нашли еще одно захоронение. Местные жители обрадовались, каждый как-то подзаработал благодаря приезжим. Орехи, грибы и ягоды продавали все, а Барышевы, самые ловкие, построили отель, который быстро окупился. Но что дальше? Где саркофаг? Или дамочка, как вы выражаетесь, исчезла? Увезли? Украли? Испарилась?

— Нехорошие дела стали происходить, — посерьезнел старик. — Приехали люди, собрали народ. Меня там не было, но знаю, что велели всем молчать, будто никакой бабы и не было. Вроде зараза там какая-то была, в этом гробу. На вертолетах прилетали, брали пробы грунта, копали много. Чертовщина там какая-то.

— Поэтому все молчат?

— Заплатили им. А мне не заплатили, меня не было. Я по тайге ходил.

— Послушайте, мы же не дети. В деревне никого нет, и отель стоит пустой.

— Не пустой, просто люди работают, вы их не видите. Ночью все вернутся. В ресторане будут гудеть, потом пойдут отсыпаться.

— Кто такие?

— Не знаю.

— Оля, пойдем! — Валентина не выдержала, схватила меня за руку, двинулась к калитке. — Похоже, здесь и правда вирус. Все с ума сошли.

— Она в пещере! — вдруг раздалось за нашими спинами.

Валентина обернулась посмотреть старику в глаза.

— Ее завалили.

— Да кого же?

— Принцессу вашу. Камнями завалили, чтобы никто не прошел. Могу найти людей, они помогут. Только это денег стоит. Мне за то, что покажу место, десять тысяч. И двум работягам по тысяче. Двенадцать тысяч, и вы пройдете в пещеру и сами все увидите. Да, еще по пятьсот рублей за фонарь. У меня есть, от американских туристов остались.

— А грибы? — нервно хохотнула Валентина. — Вы забыли сказать, что не покажете пещеру, если мы не купим все ваши грибы.

— Купите, — спокойно ответил старик, и мне стало не по себе от этого жуткого голоса. — Все купите.

Он вдруг хлопнул в ладоши, подпрыгнул на тонких ногах и пустился в пляс, наворачивая круги по двору.

— Точно, вирус! — прошептала я. Мышь на макушке снова зашевелилась.

Вероятно, этот танец означал у старика высшую степень радости. Закончив свои па, он как-то заговорщицки взглянул на нас, подмигнул, снова хлопнул в ладоши и замер, выставив вперед ногу с задранным носком, словно ждал аплодисментов.

— Так что, договорились?

Валентина вопросительно смотрела на меня. Соглашаться или нет? Денег у нас не так уж много, но мы ведь специально приехали, чтобы увидеть Тисульскую принцессу. С другой стороны, если этот пьяница врет и никакой девушки в гробу мы не найдем, как мы получим обратно наши деньги?

— А если вы обманете? — спросила я.

— Просто придете за своими деньгами, и все тут. Но мне даже говорить об этом лень. Она там, не сомневайтесь.

— Но если об этом знаете вы, значит, знают и другие, — не унималась Валя. — И если она там, тогда почему схлынул поток туристов?

— Сами поймете, — еще больше напустил туману старик. — Так что, готовы?

— Когда?

— Завтра в шесть утра на этом самом месте. Пойдем я и двое землекопов.

— Хорошо, мы согласны. — Она все-таки приняла решение.

— Но у меня условие. — Старик прищурился. — Никому ни слова, понятно? Вам же хуже будет.

— Вас как зовут, дедушка? — спросила я.

— Федором зовут.

— Хорошо, договорились, — кивнула Валя.

Я видела, как она нервничает. Еще бы. Неизвестно, что это за дед Федор такой. Может, местный врун, а мы за здорово живешь поддались на его авантюру.

В отеле мы выложили всю снедь, которую пришлось купить у местных, и легли отдохнуть. Все-таки разница во времени с Москвой сказывалась, да и завтра вставать ни свет ни заря. Но уснуть мы не могли долго. Сначала молча думали о том, что нам предстоит. Потом Валя все-таки не выдержала:

— Вот этот Федор, тебе не показалось... Даже не знаю, как сказать. Какой-то он слишком грамотный, что ли. Говорит вот как мы с тобой. Никакого сибирского говора, как если бы он был нездешний. Не удивлюсь, если узнаю, что у него высшее образование.

Я согласилась.

— А еще я переживаю, что нам не хватит денег. Нам здесь еще какое-то время жить. Конечно, я не собираюсь здесь писать роман. Думаю, сегодня мы переночуем в отеле, а завтра постараемся снять комнату в каком-нибудь доме, это дешевле. Помнишь, две женщины предложили пожить у них вообще бесплатно? Хорошо, если завтра нам повезет. Мы хоть немного прикоснемся к нашей теме, удастся хоть что-нибудь узнать о принцессе. А что касается сестры...

— Честно говоря, я ждала, что ты покажешь кому-нибудь ее настоящее фото. Не то, в гробу, а самое обычное. Боишься, да?

— Это никогда не поздно, а пока надо бы осмотреться. Ты просто не знаешь мою сестру. Все, давай уже спать.

Я промолчала — чувствовала, что она и без того нервничает. Странная все-таки история, не знаю, что и думать об этой ее сестре. Что-то с ней не так, иначе бы Валя не сворачивала эту тему и не злилась всякий раз, когда о ней заходила речь.

Мы все-таки заснули и проснулись в половине седьмого вечера. Привели себя в порядок и спустились в ресторан. И были очень удивлены, увидев за столиками мужчин. Все почти одного возраста, одетые в штатское, физиономии у всех довольные, румяные — видно, уже приняли на грудь. Андрей кружился с подносом, улыбался и явно старался угодить каждому.

Заметив нас, он подлетел и к нам. Вид у него был испуганный.

— Что это за люди? — спросила Валя. — Туристы?

— Да какие туристы, помилуйте. Биологи, инженеры — занимаются раскопками, берут пробы. У них в лесу маленькая лаборатория и палатки. Днем они там, а по вечерам возвращаются к нам.

— А что именно их интересует?

— Вроде серебро ищут.

— А может, древнее кладбище? — ввернула я.

— Насчет кладбища не в курсе, — нахмурился Андрей. — Что будете заказывать?

— А что есть?

— Сегодня стерлядь, гусь, фаршированный яблоками и вишней, тартар из папоротника с морошкой и сметаной, филе кижуча...

— Вы что же, издеваетесь над нами? В обед кормили борщом, а сейчас киж...

— Кижуч. Белая рыба, дальневосточный деликатес.

— И часто у вас такое меню?

— По вечерам.

— И вы все это готовите — и гуся, и стерлядь? Целый день стоите у плиты?

— Нет, эти блюда нам доставляют вертолетом из ресторана в Кемерове.

Мы не переставали удивляться.

— Стерлядь мы, конечно, не потянем, гуся с вишнями тоже. Нам что-нибудь дешевле.

Мне было жаль смотреть на Валю. Почему я не заняла у матери еще денег?

— Закажите, что хотите, сделаю хорошую скидку. Все равно ведь все не съедят. Эти товарищи больше на коньяк налегают и на пиво со свиными ушами. Считайте, вам просто повезло.

Мы сделали заказ. Не успел Андрей отойти, как к нам подошел человек в сером свитере и джинсах, лет примерно сорока, и поставил на стол бутылку коньяка.

— От нашего стола — вашему, — улыбнулся он расслабленно. — Какие девушки! Что же вы забыли здесь, в этом глухом крае? Острых ощущений захотелось?

— Захотелось, и что? — В Валином голосе был вызов. — А вы сюда по грибы-ягоды приехали? Может, за кедровыми орехами?

— Да ерундой здесь полной занимаемся, если честно. — Он расплылся в добродушной улыбке. — Ищем то, чего нет и быть не может.

— Серебро? — в лоб спросила Валя.

— Серебро, — кивнул он с дурашливым видом и уселся напротив. — А вы что ищете?

— Сами же сказали, мы приехали за острыми ощущениями, — почти зло ответила она. — А теперь марш отсюда!

— Понимаю. — Он поджал губы и закивал. — Все правильно, так и должны себя вести порядочные девушки. Вы извините, просто такая тоска здесь, такая скука... Прямо из земли прет, как отрава какая-то. Выматывает, все силы отбирает. Если бы не алкоголь, все бы давно свихнулись.

— Так это же просто работа. — Правда, я не могла понять, откуда вдруг у здорового и нестарого мужика, которому на ужин подают стерлядь, какая-то особенная тоска? Скорее всего, им просто не хватает женщин. А тут мы, такие свеженькие, молоденькие, смазливые, непонятно зачем приехавшие.

— Мы не проститутки! — зашипела я. Вот надо же, сама себя успела убедить, что сейчас он будет к нам приставать, и даже оскорбилась очень кстати.

— Бога ради. — Он выставил руки ладонями к нам, как бы отодвигая все дурное, что мы могли подумать. — Меньше всего хотел вас обидеть.

Он встал, чтобы уйти, но Валентина вдруг остановила его, схватила за руку.

— Постойте, я хочу спросить. Вы точно не местный и не из пугливых, судя по выправке, вы военный. Скажите, что за причина заставила местное население воды в рот набрать?

— Вы о чем? — Улыбка сползла с его лица. — Какой еще воды?

— Почему все молчат о Тисульской принцессе, словно получили команду или чем-то напуганы?

— Вон вы о чем. Конечно, напуганы. Здесь стали умирать как-то уж слишком часто, вот кто-то и пустил слух, что деревня проклята, и прокляла ее, конечно, та самая принцесса. Если вы читали о ней, тогда знаете, что ее убили.

— Как это убили? Она же лежала в саркофаге!

— Лежала, это да. Она была законсервирована, понимаете? Пока лежала в специальном растворе, была жива. Я видел фотографии: розовое лицо, тело... Оно просвечивало через кружева. Завораживающее зрелище, скажу я вам.

— Так она на самом деле была?

Сама не знаю, как у меня это вырвалось. Я почувствовала себя предательницей — как будто до этого не верила в существование этой покойницы и вот теперь проговорилась.

Валя бросила на меня ледяной взгляд.

— Несомненно, иначе с чего бы сюда повалил народ? Видели бы вы, что здесь творилось в прошлом году! Настоящее паломничество. Туристы понаехали, ученые со всего мира. В этом ресторане не было по вечерам ни единого свободного места. Тот, кто быстрее всех тогда сориентировался, просто озолотился.

— Вы имеете в виду мужа Киры?

— Именно. Он рискнул, вложил огромные деньги — и не проиграл.

— А Кира говорит совсем другое, — усмехнулась я. — Что они разорились. И еще что гостиница была ее идеей, а с мужем они поссорились из-за того, что прогорели.

Он хохотнул в кулак.

— Этот ее муж познакомился здесь с одной француженкой, журналисткой из Парижа, и бросил Киру. Но это не те люди, о которых стоит беспокоиться. Кира быстро утешилась. Да и что горевать, если у них доход за один сезон — почти два миллиона евро.

Валя уронила вилку, которую вертела в руке.

— Вы имеете в виду прибыль?

— Вот именно. Чистую прибыль.

— Что ж, остается порадоваться за них.

— Меня зовут Иван, — запоздало представился он. — А вас?

— А меня Эсмеральдой. — Валя протянула ему руку и добавила: — А ее — Беатрис.

— Какие красивые имена! — улыбнулся он. — Что ж, не буду вам мешать. Если что, звоните, вот моя визитка. Мало ли, место глухое, а вы одни.

Он положил на стол бледно-серую глянцевую карточку, раскланялся по-актерски и отошел. Мы молча проводили его глазами.

— Нет, ты видела? У него для таких дур, как мы, припасена целая пачка таких идиотских визиток.

— Но телефон вроде настоящий.

— А вот это мы сейчас проверим. — Валя уже набирала номер. В глубине гудящего зала послышалась увертюра к моцартовскому «Фигаро». Иван, уже значительно отдалившийся от нас, медленно повернулся, поднял телефон над головой и кивнул — мол, теперь-то все в порядке, вы поверили?

— Он прав, здесь на каждом шагу может подстерегать опасность. Завтра утром мы сами идем искать какую-то пещеру. Хорошо, если она есть и мы сможем там что-то увидеть. А если нет и нас обманули, кто даст гарантию, что нам вернут деньги?

Иногда мне казалось, что тема денег беспокоит Валентину больше всего. Она заметно нервничала — считала себя ответственной абсолютно за все, что с нами может произойти.

— Валя, если что, я позвоню матери, и она вышлет еще денег. — Я просто обязана была ее успокоить, потому что видела, как она переживает. — Пожалуйста, не думай об этом. Знаю, ты переживаешь, что наша поездка может оказаться напрасной, но вот я так не считаю. В крайнем случае можно будет написать книгу о том, как ты приехала сюда, как встретила запуганных до смерти местных жителей. А потом ты сама придумаешь какую-нибудь неожиданную развязку — бомбу!

— Я уже и сама об этом подумываю. — Она нервно скатала салфетку в шарик и бросила в пустой бокал из-под минеральной воды.

Андрей принес нам по гусиной ноге, политой густым вишневым соусом, подогретые ломти оранжевого, в черных подпалинах гриля, кижуча, салат и теплый белый хлеб.

— Мы разоримся. Надо было бежать отсюда. Взяли бы молока у местных и булку, был бы прекрасный ужин. Все, с завтрашнего дня селимся в деревне, пускай берут на постой с полным пансионом. Ты как, не против?

Наша трапеза была отравлена мыслью о счете. Все изменилось в мгновение ока, даже гусь с рыбой стали слаще, когда подбежал запыхавшийся Андрей и сказал, что за ужин мы не должны ничего, — нас взял под крыло Иван Семенович.

— А кто такой этот Иван? — поинтересовалась Валя.

— Один из ученых, очень приятный человек. Слышал, что недавно овдовел. Грустит мужик, не может найти себе места. Его здесь все уважают.

— Значит, его можно не бояться? — спросила я в шутку.

— Конечно.

— А кого нужно бояться? — вмиг посерьезнела Валя.

— Да всех! — подмигнул Андрей.

Он умчался, а мы с Валей переглянулись.

— Смотри, на ножке вишенка целая. Что ж, спасибо Ивану Семеновичу. — Она принялась за гусиную ногу. — Давай, подружка, налегай на эту вкусноту. Неизвестно еще, что ждет нас завтра.

Валентина

Мы проснулись по звонку будильника. Пять утра. Дерзкий, назойливый звук, разрывающий сон, меня всегда нервировал. Но еще больше не давали покоя события вчерашнего дня, о которых я не переставала думать даже во сне.

Мне было ужасно стыдно перед Олей. Надо же, как она быстро раскусила, что я постоянно тревожусь из-за денег. Но как еще я могла реагировать на дорогой ужин, когда мы и без того уже потратились. Деньги просто утекали сквозь пальцы, хотя мы ничего особенного себе не позволяли, разве что эти местные деликатесы.

Но даже не деньги тревожили меня больше всего. Самое главное — факт нахождения в этой деревне. Что я здесь делаю? Как мне объяснить Оле, зачем я сюда приехала? Писать книгу? Но кто я такая, чтобы писать? Спасать сестру? От кого, от чего? При чем здесь вообще моя сестра?

Удивительно было и то, что Ольга совсем не расспрашивала меня о сестре. Напомнила пару раз о ее фотографиях, и все. Я бы на ее месте с ножом к горлу пристала: расскажи, каким боком здесь твоя сестра и почему она могла оказаться в гробу. Но Оля ни о чем не спрашивала, а все мои желания воспринимала как приказ, руководство к действию. Почему так? Этот вопрос тоже не давал мне покоя. И денег на дорогу дала, и в спутницы напросилась, словно заранее знала, как я обрадуюсь. Хотя нет, не напросилась, это неправильное слово. Она предложила поехать со мной, потому что почувствовала, что мне нужна поддержка. Просто разглядела в моих глазах растерянность и страх.

Но какая странная история с нами приключилась! Куда мы забрели? И что будет дальше?

Шел дождь. Я встала, подошла к окну. В голубовато-зеленой дымке мокла тайга. Я обняла себя руками за плечи. Стоит ли выходить в такую непогоду? Кто будет разбирать завалы? Неужели, несмотря на дождь, кто-то согласится пойти с нами в пещеру? Да и существует ли эта пещера?

Захотелось вдруг закрыть глаза и открыть их уже в Москве, в квартире на Цветном бульваре, где сухо, чисто и тепло, где в любое время можно сварить кофе или спуститься в булочную за ромовыми бабами. А еще можно собраться и отправиться на работу, в мой кофейный рай, где я чувствовала себя как рыба в воде.

— Что, пойдем? Или ты передумала? — донесся сонный Олин голос. Я вздрогнула.

— Послушай. — Я подошла к ее кровати, присела, посмотрела ей в глаза. — Оля, может, ну ее, эту пещеру? Ты же видишь, здесь все не так, как мы себе представляли. Никакого интереса к Тисульской принцессе уже нет. Из этой легенды выжали все, что могли. Ты уже поняла это, ведь так? Кира — вот кто хорошо заработал на всем этом.

Я вовремя остановилась. Не притормози я в этот момент, с языка сорвалось бы то, что я уже приготовилась сказать. На месте Киры должна была быть моя сестра — вот что я готова была произнести.

Да-да, это она могла быть на месте Киры, она, моя проныра, моя гениальная сестрица, у которой великолепная интуиция по части подобных дел. Это она умеет доставать деньги из воздуха, в чем я неоднократно убеждалась. Помнится, в детстве она собрала ватагу ребят, чтобы отправиться на поиски затонувшей Атлантиды. Все успели скинуться по пять рублей на билет, корабль должен был отправиться в это опасное плавание — никогда не забуду! — в субботу вечером! Ни года не помню, ни месяца, летом дело было, в жару, когда нам всем так хотелось к морю, к кораблям, когда теплый ветер трепал наши волосы и жизнь казалась такой огромной и интересной, а книги Жюля Верна превращали в романтиков. Помню раскрасневшееся личико Ани и то, как она пыталась договориться с каким-то матросом с белого парохода, на котором мы планировали отправиться в плавание. Все сорвалось тогда, Атлантиду мы так и не нашли, зато на деньги, которые дворовая ребятня ей доверила, она купила подержанный велосипед и теперь брала копейки с тех, кто хотел покататься. Она объясняла это тем, что копила на выкуп какого-то чернокожего студента, которого якобы замуровали в одном из питерских склепов. Как здесь не раскошелиться?

Уже тогда у нее были какие-то грандиозные по детским меркам планы, дерзкие, фантастические. Потом были еще проекты, авантюры, идеи, и все, конечно, в приключенческо-романтическом ключе. Любая ее идея подкупала неординарностью и возможностью сразу сорвать куш.

Вот почему, стоило мне увидеть ее в саркофаге, как я сразу связала этот снимок с очередной безумной идеей сестры. Кажется, я поняла, в чем эта идея заключалась. Она узнала о Тисульской принцессе и решила, что и в отсутствие настоящей ее можно выдумать, сделать доступной и заставить приносить настоящие деньги.

Что-то мне подсказывало, что этот отель, сейчас казавшийся пустым и неприбыльным, связан с моей сестрой. Что, если у этой Киры и мужа никакого не было? Хотя как его могло не быть, если тот же Иван его знал?

— Так неохота выходить из номера, — донеслось из-под одеяла, куда Оля забралась с головой.

Я подумала, что, пожалуй, впервые Оля повела себя естественно. Кому хочется идти навстречу опасности, когда можно остаться в тепле?

— Нет уж, раз договорились, значит, пойдем. Хотя ты можешь оставаться здесь.

Я сказала это без малейшей обиды или раздражения, но Оля немедленно вскочила и пошла в душ.

Кира одолжила нам два брезентовых дождевика, в которых мы походили на сказочных гномов — до того огромными они были.

— Куда же вы собрались? — по-матерински заботливо улыбнулась Кира.

Несмотря на ранний час, она выглядела особенно свежо. Щеки ее пылали румянцем.

— Осматривать достопримечательности, — гордо заявила Оля и уверенно направилась к выходу. — Мы же будем книгу писать!

Дождевая вода, падающая с неба, казалась зеленой. Мы пробирались сквозь эту густую влагу, как рыбы в аквариуме. Вода пузырилась под ногами, все тонуло в безрадостных утренних сумерках. Мы обе были уверены, что никто не придет.

Конечно, дед Федор обманет. На душе было тяжело, я и сама чувствовала себя обманщицей по отношению к доверчивой Оле. Сколько можно испытывать ее терпение? Неужели естественная благодарность после того, как я помогла ей, взяла под свое крыло, сменилась не рассуждающим слепым доверием? Когда-нибудь я объясню ей, как это опасно — очаровываться человеком. Обратная сторона этого пьянящего чувства — разочарование, и оно может быть убийственным для неокрепшей души.

Увидев в условленном месте темные силуэты, мы даже остановились. Не знаю, как Оля, но я не готова была поверить своим глазам.

— Смотри-ка, пришли! — тихо воскликнула она, радостно и восторженно.

— Да, в самом деле. — Я двинулась навстречу нашим сопровождающим. Все трое были в таких же дождевиках, как у нас.

Дед Федор был трезв. Щеки его розовели на фоне зеленого лесного пейзажа за его спиной. Сегодня он не улыбался и казался очень серьезным.

Рядом с ним стояли двое с хмурыми лицами. На спинах у обоих были одинаковые брезентовые рюкзаки, должно быть, с провизией.

— Доброе утро! — поприветствовала я их. — Погода не смущает?

— Нормально, — ответил один из мужиков.

Федор представил их:

— Иван, Кирилл.

Обыкновенные мужики, с грубыми, обветренными лицами красновато-кирпичного цвета. Не исключаю, что даже братья. Только у одного глаза серые, а у другого — почти черные. Вот этого черноглазого звали Кириллом, второго — Иваном. Пришли подзаработать. А ведь они местные, подумалось мне, и точно знают, куда идут и зачем. Неужели все трое мошенники и решили обмануть нас, приезжих дур?

— Деньги только после того, как мы увидим все, — сказала я твердым, как мне показалось, голосом.

— Нет, так не пойдет, — нахмурился Иван. — Не знаю, что вы там хотите увидеть. Мы согласились разобрать вход в пещеру.

— А вы знаете, что там? — спросила Оля в лоб. И правильно сделала.

— Догадываемся, — ответил Кирилл. — Что, пойдем?

— И что же?

Молчание.

Федор в течение этого короткого разговора пребывал в задумчивости. Может, прикидывал, что можно будет сделать, если обман раскроется и мы откажемся платить. Наконец он кивнул, махнул рукой, и мы все двинулись по тропинке, ведущей в лес.

— Они нас изнасилуют и убьют, — шепнула мне в спину Оля, пока мы обходили какой-то камень. Да что там, у меня и у самой было нехорошее предчувствие, не говоря уже о том, что мы успели продрогнуть, дождь не думал униматься, а с капюшона, который закрывал половину лица, потоками стекала вода.

— Можем повернуть, пока еще помним дорогу, — предложила я, но сама продолжала, как зомби, двигаться дальше.

Шли мы долго. То выныривали из густого леса, то снова погружались в мокрую темень. Под ногами пружинила земля, устланная толстым слоем потемневшей хвои. Мужики молчали.

Когда я споткнулась о какую-то корягу и упала, сильно ударившись коленом, Кирилл, который был поблизости, как-то уж слишком проворно подбежал помочь. Обдал запахом кофе (надо же, не перегаром), шепнул на ухо фразу, которая показалась мне загадочной:

— Лучше бы к Анисимовичу наведались.

Он помог мне встать, я отряхнулась и вдруг поняла, что мы отошли уже слишком далеко от деревни, чтобы можно было вернуться самостоятельно.

— Что-то страшновато, — обратилась я уже в полный голос к идущему впереди Федору. — Куда вы нас ведете? Если что — Кира знает, с кем мы отправились.

Конечно, я соврала, а что еще оставалось? Мне в самом деле было страшно. И не только за себя, но еще и за Олю, за которую я теперь отвечала головой.

— Не боись, почти пришли, — отозвался словно откуда-то издалека Федор.

Может, мы с Олей не первые и не последние, кого эта странная группа тащит в глубину тайги? Конечно, можно было остановиться и броситься по тропинке обратно, может, и нашли бы дорогу и добрались до деревни. Но так обидно было вернуться, не увидев того, ради чего мы приехали! Конечно, я сейчас не о сестре, а то, что как магнитом притягивало сюда любителей древности, аномальных явлений и просто любопытствующих чудаков со всего мира.

Ерунда, не может в этом быть никакого криминала. Обыкновенные местные жители, люди в возрасте, которые просто решили подзаработать. Даже если в пещере не будет ничего особенного, об этом путешествии можно будет написать пусть не книгу, а рассказ или очерк. Если еще прибавить странных ученых, может получиться очень даже интересный материал. Да и о Кире стоит написать, о том, как они с мужем озолотились на этой весьма сомнительной Тисульской принцессе.

— Все, пришли!

Мы вышли к ущелью, окруженному густым лесом. Небо немного прояснилось, и на каменистой площадке, разделявшей лесной массив на две части, стало видно нагромождение гладких валунов.

— Где же пещера? — спросила я.

— Откатим камни, тогда увидите ступени, это и будет вход в пещеру, — за всех ответил Федор. Сам он уселся на один из валунов и доставал сигарету. Закурили и Иван с Кириллом.

Мы с Олей приблизились к краю площадки и заглянули вниз — в пропасть, глубокую и страшную, где клубился густой сизый туман.

— Не подходи близко.

Я сама испугалась этого головокружительного притяжения бездны. Да-да, меня словно потянуло вниз, пришлось даже отскочить назад, и я чудом не упала.

— Да уж, вы осторожнее, — сказал Федор, и я уже хотела было сердечно поблагодарить его за заботу, как он добавил: — А то кто же нам заплатит? Получится, напрасно мы сюда шли.

— Ты даешь, Федор! — покачал головой Иван и выпустил дым через ноздри.

— В самом деле, держитесь подальше от края, — посоветовал Кирилл. — А Федора не слушайте, это он так шутит. Что, мужики, за работу?

Мы с Олей нашли большое поваленное дерево и уселись на ствол, как на скамейку, с которой удобно было наблюдать за их работой.

Камни они не перетаскивали, а откатывали. Дело спорилось, наши провожатые работали слаженно. Они почти не разговаривали и останавливались, только чтобы вытереть пот с лица и передохнуть.

Так прошло три часа. Лес вокруг успел измениться: посветлело и дождь перестал. Теперь лесная испарина поднималась к небу золотым дымком. Птицы распелись, солнце стало припекать. Как-то само собой поднялось настроение.

— Как ты думаешь, что там? Странно, что все завалено камнями? Думаешь, кто-то специально завалил? — Олины вопросы ничем не отличались от тех, что вертелись у меня на языке.

— Сама ничего не понимаю, — прошептала я.

Понятное дело, наши помощники не растаскивали все камни. Главным было расчистить хотя бы узкий проход к пещере.

— Все. — Кирилл в последний раз стукнул ломом о камень и обернулся к Федору. — Мы пойдем.

— Идите. Вам заплатят, а дальше молчите, как договаривались, — донеслось до нас.

Я заплатила обоим, сухо поблагодарила за работу и напоследок успела поймать долгий взгляд Кирилла. Этот взгляд намекал, что стоит запомнить его слова — те, что прозвучали по дороге. Да, на них стоило обратить внимание.

Когда оба ушли, я спросила Федора о Кирилле — кто такой, чем занимается.

— Это братья, Иван и Кирилл. У них бизнес: собирают грибы для ресторанов и солят.

— А жены у них есть?

— И жены, и дети, и даже внуки. Но кто бы о чем ни попросил, особенно когда есть возможность подработать, никогда не откажут. И колодцы чистят, и крыши чинят, и землю в огородах копают, где трактор не пройдет.

— А кто такой Анисимович?

— Спускайтесь сюда. Видите каменную площадку?

Федор поддерживал нас, пока мы спускались на площадку, нависшую над пропастью. Теперь мы были зажаты рядами валунов, между которыми образовался тесный проход к пещере.

Федор достал из рюкзака два больших фонаря и отдал нам. Третий, самый большой, оставил себе. Сделав нам знак, чтобы мы подождали, сам заглянул в пещеру и исчез в ее недрах.

Его не было минут пять. Потом он вынырнул и позвал нас.

— Что-то мне не по себе, — выдохнула Оля. Она как будто приросла к земле и не могла двинуться с места. — До меня только сейчас дошло, что мы увидим гроб с женщиной, которой миллионы лет. Мне страшно.

— Да нет там никакого гроба, чушь все это! — зло отрезала я, непонятно на кого рассердившись.

— Забыл вас предупредить. — Федор, который до этого обращался к нам весьма презрительно, как к избалованным барышням, которым вдруг захотелось романтики, неожиданно сменил тон на отеческий. — У вас проблем с сердцем нет? Какие-нибудь капли сердечные с собой захватили?

Мы переглянулись. В эту минуту мы обе почувствовали страх. Большой холодный страх и ничего больше.

— А что там? Очень страшное? — Оля нашарила мою руку и крепко ее сжала.

— Носовые платки хотя бы имеются?

— Это еще зачем? — проворчала я.

— Да запах там, как бы это сказать, специфический. Сейчас сами почувствуете.

Отступать было поздно. Мы включили фонари и вошли в пещеру.

Александра

Кротости моей дочери можно позавидовать. Я бы на ее месте все равно настояла на своем и узнала, зачем понадобилось знакомиться с какой-то там девицей, еще и угождать ей во всем. Хотя, может, это не кротость, а послушание. Она так доверяет мне, зная, что я желаю ей только добра. Конечно, если я живу только для нее, значит, все делаю правильно.

Интересно, как бы я сама поступила на ее месте? Не знаю. И вообще я ничего не знаю об этой Валентине. Приезжая, как и мы с Олей. Работает в кафе. Красивая, даже очень. Талантливая. Вон, Оля рассказывала, она и пишет что-то там, и рисует, и все у нее получается.

А еще неиспорченная, добрая. Кто мог предположить, что эта доброта так изменит ее жизнь? Но сама она еще не догадывается, что все изменилось. Живет себе спокойно, развлечение себе придумала — отправилась за тридевять земель на поиски сестры. У меня тоже есть ноутбук, я тоже дружу с интернетом и читала об этой Тисульской принцессе. Только такая дурочка, наивная и романтичная, как Валентина, могла увлечься этой несуществующей принцессой и отправиться за тридевять земель, чтобы написать о ней книгу, для отвода глаз прикрываясь поисками сестры. Где ее сестра, а где принцесса? Ерунда несусветная.

Оля, я уверена, тоже так думает. А еще недоумевает, зачем я позволила ей поехать вместе с Валентиной. Думаю, дочь считает меня тираном, человеком жестким. Когда-нибудь, когда она все узнает, еще спасибо скажет за то, что я отправила ее в это опасное путешествие. Главное сейчас — чтобы они были вместе.

Еще я переживала из-за денег. Конечно, того, что они заняли у меня, им не хватит, это к гадалке не ходи. Как они будут выкручиваться, можно только догадываться. В любую минуту я ждала звонка от Оли с просьбой выслать деньги. Что ж, я готова.

Моя нынешняя работа заключалась в том, чтобы ухаживать за хозяином. После всего, чем приходилось заниматься прежде, она казалась мне просто раем небесным. Вставала я рано, готовила завтрак, убирала, запускала стиральную машину. Потом мы с Сергеем Ивановичем делали упражнения. Приезжал водитель, и мы отправлялись на прогулку куда-нибудь в парк или в лес.

Это поначалу я была уверена, что хозяин тяжело болен и не в состоянии передвигаться самостоятельно. Оказалось, его неподвижность временная, связана с тяжелым нервным расстройством. Ничего удивительного, что благодаря моим стараниям и профессионализму доктора Ревина мой Сергей Иванович очень скоро встал и пошел. Никакого тебе паралича, никаких серьезных отклонений — ничего, что могло бы превратить его в инвалида во цвете лет.

Сергей Иванович Караваев, серьезный бизнесмен, человек умный и, ко всему прочему, великодушный, после того, как ему заметно полегчало, не выгнал меня, хотя мог уже обходиться и без моей помощи, а предложил остаться у него в качестве помощницы по хозяйству. К слову, его бывшая домработница вышла замуж и уехала в Клайпеду.

Оле своей я об этих изменениях пока не говорила. Когда-нибудь она поймет почему. Пусть пока думает, что я ухаживаю за тяжелобольным, пусть ничего не знает о его выздоровлении и о том, какую роль сыграл в этом мой уход.

Сергей Иванович был мне искренне благодарен — кто, как не я, кормил его, выносил из-под него, а иногда просто поддерживал разговором и участием. Дело ведь не в болезни, взявшейся как бы ниоткуда, а в его безбашенном сыне, который нанял дружков, чтобы его, Сергея Караваева, отметелили по первое число. Отец чуть богу душу не отдал. Денег, видите ли, сыночку не хватало на наркотики.

Наркоман — это дьявол, вселившийся в нормального здорового парня. Это не мои слова, сам Караваев так сказал. Еще он сказал, что от его сына вообще уже ничего не осталось, эти наркотики из него душу вынули. А я так считаю, что и из самого Сергея Ивановича вынули душу, только не наркотики, а сын его. Еще неизвестно, как бы все сложилось, если бы Артема, сынка его, не поместили в специальную клинику на лечение. Может, и излечился бы, только дружки нашли его и там, привезли наркотики. Он умер прямо в клинике от передозировки. Всего-то девятнадцать ему было. На похороны никто не пришел, только близкие друзья Караваева и я.

После похорон Сергей Иванович попросил побрить ему бороду. Как же он изменился после этого, как помолодел! Лет на двадцать — точно.

— Увидела бы вас на улице, не узнала бы. — Я промокнула ему мокрым полотенцем розовые гладкие щеки.

— А вот я тебя узнал, — вдруг сказал он, и я уронила полотенце. Быстро подняла и увидела, как затряслись у меня руки.

Я с трудом заставила себя улыбнуться, хотя тогда мне было точно не до улыбок. Не хотела я, чтобы он вспомнил, где видел меня прежде.

— Я к Комаровскому в офис заходил, ты там пылесосила. Был вечер, мы с ним заболтались, а ты вошла с пылесосом, и тогда только мы поняли, что уже поздно и пора по домам. Ведь это была ты?

— Да, — не стала я запираться. Что еще мне оставалось?

Признаться, я до сих пор удивляюсь, как он после той нашей встречи у Комаровского не вспомнил меня сразу и вот так запросто взял в свой дом. Можно сказать, с улицы. Я тогда долго ломала голову, как к нему подступиться. Как добиться, чтобы он взял меня в свой дом, приблизил к себе? Он и тогда, у Комаровского, был на костылях и выглядел ужасно: бледный, глаза запавшие, губы какие-то припухшие, словно разбитые. Словом, вид не фонтан, сразу ясно, что человек нездоров.

Так я и пришла к нему. Порылась в бумагах Комаровского, узнала адрес, сказала, мол, ищу работу сиделки и слышала, будто бы в его подъезде кому-то нужно смотреть за стариками. Конечно, я рисковала. Не было никакой надежды, что он меня возьмет к себе, а он взял. Видно, плохо ему было очень.

— Мне нужна сиделка, — сказал он тогда, стоя в двери. Он едва держался на костылях. За его спиной я увидела огромную квартиру, роскошную, как дворец. Все точно так, как говорила моя сменщица Галка. Богатый и очень несчастный мужик.

Вот так мне повезло. Говорю же, сама до сих пор не понимаю, как все так складно получилось. Везение или судьба?

В тот момент, когда он впустил меня в дом, я почувствовала себя танком. Так уверенно и отчаянно я двигалась к цели, что самой стало страшно.

Будь я моложе, женила бы его на себе. Но каждый человек должен знать свое место. Вот и я тоже знала. Я могла быть ему старшей сестрой или тещей, вот это было бы правильнее. Да только знаю я Олю — она не сможет его увлечь. Слишком молода, да и красотой не блещет. И потом, откуда мне было знать, что он так скоро поправится? Я-то думала, и не только я одна, что он серьезно болен. Не то чтобы дни его были сочтены, но раз человек пришел к Комаровскому, значит, неспроста, что-то с ним случилось. О его сыне я ничего тогда не знала.

Честно говоря, у меня и плана как такового не было. Хотелось одного — надежного покровителя для себя и для Оли. Вот я и подумала, что, служа в доме Караваева, буду под защитой. У меня будут крыша над головой, еда, деньги, а в случае болезни или какой другой напасти я всегда смогу обратиться за помощью к хозяину. Чтобы расположить его к себе, сделать своим другом, а самой стать для него незаменимой помощницей, я старалась как могла, пылинки с него сдувала. А в голове гвоздем засела мысль о Валентине.

Стыдно ли мне за то, что я так много думала, что станет с нами после его смерти? Стыдно, конечно. Но как раз его болезнь и визит к Комаровскому плюс стремительное оформление бумаг навели меня на эти мысли. Так родился план, как намертво привязать Олю к Валентине.

После его выздоровления можно было бы уже отказаться от этого плана и оставить Валентину в покое. Тем более что основную свою задачу я решила — нашла в лице Караваева надежного покровителя и защитника. Как бы цинично это ни звучало, но оба сценария — и смерть Караваева, и его выздоровление — были мне на руку. Первый, конечно, надолго откладывал реализацию моего плана, поскольку там многое зависело от Валентины и отношений, которые сложились или не сложились у нее с моей Олей. Второй сценарий был делом моего таланта. Здесь требовалось скорее внушить хозяину, насколько велика моя собственная роль в его выздоровлении. Сработал второй вариант, Караваев поправился и почувствовал себя обязанным мне. Впервые за долгие годы ко мне пришла уверенность, что я нахожусь под защитой. Да что там говорить, мне с ним просто повезло.

Но даже сейчас, когда я могла спокойно копить деньги, жить на всем готовом и вдобавок знать, что всегда могу одолжить любую сумму у хозяина, не оставлять же без внимания второй вариант, тем более что девочки мои подружились. Все под богом ходим, неизвестно еще, как судьба распорядится Караваевым. Я решила контролировать события.

Сначала я собиралась отговорить Олю участвовать в этой авантюре. Что еще за поездка в Сибирь ни с того ни с сего? Потом я поняла, что именно такое трудное путешествие может сблизить, а главное — поселит в Валиной душе безграничное доверие к Оле.

Разве могла я предположить, чем обернется для них эта дружба и как много испытаний придется пережить моей дочери. Хотя кто знает, как сложилась бы ее жизнь, не встреть она Валю. Может, познакомилась бы с каким-нибудь подлецом, который разрушил бы все. От этого никто не застрахован. Что поделать, я уже привыкла во всем видеть дурное. Признаю, во мне по-прежнему крепко сидит ненависть к мужчинам.

Время шло. Я все ждала звонка Оли с просьбой выслать деньги. Звонки были, Оля рассказывала что-то о жителях этого сибирского поселка, о каких-то бальзамах, варенье. В ее словах не было ничего особенного, никакого намека на наш уговор, из чего я поняла, что Валентина где-то рядом. Пока, судя по ее звонкам, с ними ничего особенного не происходило, никакую сказочную принцессу они не увидели. Да и как могли увидеть, если ее нет.

Валентина

Сейчас, когда я вспоминаю об этом, меня в самом деле пробирает дрожь. Даже от воспоминаний захватывает дух и становится трудно дышать.

Вслед за Федором мы вошли в пещеру. И сразу почувствовали запах чеснока. Такой сильный, словно где-то там, в глубине, примостившись на каменном валуне, кто-то рубит целый килограмм чеснока.

Яркие лучи фонарей золотом чиркали по темным каменным стенам. Своды были настолько низкими, что приходилось пригибаться, чтобы не удариться головой о выступы. Впереди шел Федор, освещая всем нам путь невероятно сильным фонарем.

Когда луч его фонаря коснулся чего-то белого и сверкающего, мое воображение сразу дорисовало картинку — я увидела саркофаг.

— Смотри. — Оля схватила меня за руку. Лучи наших фонарей сошлись на прозрачной стеклянной конструкции, которая оказалась не миражом, не плодом моей фантазии. Перед нами стоял саркофаг. Белый каменный постамент под ним казался невероятно мощным. Федор скрылся за ним, дальше что-то щелкнуло, должно быть, какой-то выключатель, и саркофаг вспыхнул изнутри — засверкал, переливаясь розовато-перламутровым светом.

— Вот она, смотрите! — донесся голос Федора, надо же, такой буднично-недовольный в такую невероятную минуту. Я почувствовала, как кожа покрывается мурашками, а ноги отказываются идти.

Оля оказалась смелее. Это понятно, она же не боялась увидеть там свою мертвую сестру. Она сделала несколько шагов вперед, замерла совсем рядом с саркофагом и тихо ахнула.

— Что там? — прошептала я, давясь страхом.

— Девушка. Мертвая.

— Похожа на Аню?

— Нет, это не она. Можешь подойти, не бойся.

Я приблизилась. Голова закружилась, когда я увидела под стеклянной крышкой погруженную в прозрачную розоватую жидкость мертвую принцессу. Нет, живой она быть не могла. Глаза прикрыты, кожа чуть темнее, чем могла быть у нее при жизни. У этой рыжеволосой девушки наверняка была белоснежная кожа при жизни, так я решила. Платье было белым с какими-то немыслимыми кружевами. Девушка была высокой, худенькой. Лицо ее ничем не отличалось от сегодняшних ее сверстниц. Наверняка она была красивой, даже очень. И конечно, нисколько не походила на мою Аню.

— Не может быть, — прошептала я, все еще отказываясь верить глазам. — Федор!

Он появился откуда-то из темноты.

— Это стекло... Она что, так и была под стеклом?

— Нет, конечно. Стеклом закрыли уже после того, как ее извлекли, чтобы жидкость не испарилась. Иначе тело потемнеет, как в прошлый раз.

— Хотите сказать, это уже другая принцесса, вернее, покойница?

— Ясное дело. Ту увезли. Да вы и сами все знаете.

— Откуда мне знать, — смутилась я, словно меня заподозрили в чем-то постыдном.

— Так интернет полон. — Федор недовольно поджал губы.

— Но эта тогда откуда?

— Темная история. Поговаривают, что их было несколько, этих саркофагов. Больше у меня ничего не спрашивайте, я и так рискую, что привел вас сюда.

— Кто вас может наказать?

— Хозяева имеются, — с загадочным видом изрек он.

— Хорошо, пусть так, — не унималась я. — Пусть хозяева. Ясно, что кто-то за всем этим следит — вон, свет провели, вернее, поставили генератор. Но камнями-то зачем завалили?

— Временно завалили, пока они не вернутся.

— Кто — они?

— Не забивайте себе головы. Мужики мои будут молчать. Я их время от времени зову, чтобы проход то завалить, то расчистить. Если в течение недели новые туристы не прибудут, придется заваливать, потому как хозяева могут вернуться в любую минуту. А с хозяевами шутки плохи.

— Какие еще хозяева у такого древнего захоронения? — удивилась Оля.

— А они землю выкупили, как раз столько, сколько нужно. Эта земля, в которой пещера, — частная собственность.

— Хотите сказать, что этот саркофаг и нашли здесь?

— Да что вы такое говорите. — Федор уже не скрывал раздражения. — Саркофаги находят в скалах, когда дробят породу. Уж точно не в пещерах, да чтобы еще вот так, открыто. Там в скалах вроде ниши такие, и вот в них эти саркофаги.

— А что администрация? — иронически усмехнулась Оля. — Они знают?

— У них свои дела с хозяевами. А то вы не понимаете, какие деньжищи здесь крутятся.

— Я лично вообще ничего не понимаю.

— А представьте, чего стоило эту конструкцию сюда привезти и не расплескать биологический раствор, чтобы сохранить эту покойницу. Да так, чтобы с ее головы не упал ни один волос. Они ночами здесь работали, специальную технику нагнали.

— А потом всех, кто здесь работал, убили? — хмыкнула Оля. Пришлось делать ей знаки, чтобы как-то ее приструнить. Мне, скажем прямо, совсем не улыбалось испортить отношения с этим человеком. Пусть он хмурый, неприятный, что-то откровенно скрывает. Тот, кто причастен к такому чуду из чудес, как настоящая Тисульская принцесса, и не должен быть обычным.

— Можно мы здесь немного побудем, сделаем снимки?

— Для этого я вас сюда и привел. Только в деревне никто не должен знать.

— А почему в деревне все молчат? Неужели не знают? Да нет, не верю.

— Все знают. Просто эти люди, наши хозяева, оказались настолько предусмотрительными, что нашли способ заткнуть местным рты. Все просто: надо было всего лишь заинтересовать людей реальным заработком. Организовали фирму, которая покупала у населения продукты и перепродавала в столице. Все, кто подписал с этой фирмой договор, обязались молчать о саркофагах. Выполнить эту часть договора было легче легкого, тем более что в карманах за болтовней о принцессах не прибавлялось. Зато если бы кто-нибудь узнал, что условие нарушено, то с ними тотчас разорвали бы договор.

Представить подобный договор я решительно не могла. Кто, скажите на милость, может узнать, о чем болтает хозяин в своем доме?

— Знаю, о чем вы сейчас подумали. Кто, мол, узнает, проболтался кто об этих покойницах или нет? Отвечаю: у нас все друг за дружкой следят. Вот вы, к примеру, вчера были у Чубатовых, Звонковых, Марковых, а они все связаны договором.

— А вы, выходит, не желаете продавать продукты по выгодной цене?

— Я солю грибы и отвожу в город, как Иван с Кириллом. Да я вообще скоро уеду. Сын в Сочи позвал, двину к нему. А туристов почему бы и не сводить сюда? Подработать всегда хорошо.

— Все равно не понимаю. Почему же те, кто владеет этой землей, уехали? Они могли бы и дальше делать деньги на этом. — Я кивнула на сияющий белоснежный саркофаг. — Зачем они его замуровали, какой в этом смысл? Или им стали угрожать? Кто-то вмешался, да, администрация или военные из Москвы, как тогда, в шестьдесят девятом?

Федор помрачнел. Распространяться на эту тему он явно не желал.

— Так значит, люди оттуда, — Оля подняла палец к своду пещеры, подразумевая сильных мира сего, — знают о местонахождении саркофага?

— Никто точно не знает. Но если хозяева так неожиданно все бросили и исчезли, уж наверняка была причина.

— Может, и нам здесь опасно оставаться?

— Вот не знаю. Этот запах тоже может быть отравой. Сами, словом, решайте, что со всем этим делать, а я свою работу закончил.

— Постойте! — не на шутку испугалась я. — Вы что, решили бросить нас здесь?

В воображении я уже видела, как Федор заваливает огромным валуном вход в пещеру.

— Бросьте. Я не злодей какой, чтобы вас здесь оставлять. Да вы и сами найдете дорогу, там трудно заблудиться. Но куда же я уйду, если вы мне еще не заплатили?

«Очень правильно сделали», — пронеслось у меня в голове.

— Тогда подождите нас снаружи. Мы здесь немного пофотографируем и рассмотрим все как следует.

Федор вышел. Оставшись вдвоем, мы с Олей вздохнули свободнее. Теперь никто не следил за нами и не стоял над душой.

— Знаешь, я не верила, что это правда, — прошептала Оля. — Конечно, хотелось верить, это же так интересно, необычно, так фантастически здорово! Я вот смотрю на нее, и мне кажется, что это сон и сейчас я проснусь в гостинице или, еще лучше, дома, в своей постели. Валя, ты что молчишь? Теперь ты хотя бы уверилась, что это не твоя сестра.

— Но кто же тогда сделал те снимки?

Я открыла в телефоне папку с фотографиями, нашла те самые снимки, скопированные с сайтов, где была моя сестра, и показала Оле.

— Вот, смотри, здесь несколько вариантов, и везде на снимках разные гробы. Где-то точно такой же саркофаг, сама видишь, и там моя сестра, тоже под прозрачным колпаком. А здесь просто иллюстрация к пушкинской «Сказке о мертвой царевне и семи богатырях», явно фотомонтаж. Смотри, даже гроб на цепях.

— Да, верно. Но на фотографиях с твоей сестрой точно этот самый саркофаг.

Теперь я уже сама принялась фотографировать саркофаг и спящую в нем девушку.

— А почему так несет чесноком? — Оля ходила вокруг саркофага и принюхивалась. — Совсем свежий запах, как будто его только что раздавили.

— Может, это вовсе не чеснок, а какое-то другое вещество, которое пахнет, как чеснок. Какой-то мощнейший консервант, который позволяет трупу сохраняться столько веков. Смотри, ее тело, руки, лицо, даже ступни... — Я сфотографировала ступни ног, выглядывающие из-под длинного платья. — Вот так. Теперь еще пару снимков лица, и хватит. Вдруг здесь в самом деле опасно находиться? Пойдем отсюда скорее. Главное, что она существует и мы ее увидели...

— Ты хочешь сказать, они существуют. Но как же все это странно! — Ольга обвела руками пространство вокруг себя. — Вернусь в Москву, расскажу маме, но она же не поверит! Решит, что я все придумала.

— Ладно, пойдем уже. Хотя я прямо оторваться от нее не могу, так бы и смотрела. Завораживающее зрелище!

— Теперь у тебя есть материал для романа.

— Но о чем же писать? О том, как мы оказались в пещере и увидели эту девушку? Нужна какая-то легенда, интригующая, невероятная, чтобы у тех, кто будет читать, дух захватывало.

— Вот ты ее и придумаешь. Я бы на твоем месте отталкивалась от того, что она точная копия твоей сестры. А что, если она, появившись на поверхности земли после многих веков заточения в скале, стала притягивать свои копии? Может, ее душа поселилась в телах девушек-близнецов, рождавшихся каждый век? Вот так она и сестру твою притянула, почему нет?

— Оля, да ты просто гений! — Я сама не заметила, как стала улыбаться. Страхи мои отступили. —

Мне бы такое в голову не пришло. Ладно, еще будет время подумать над сюжетом. Главное — мы ее увидели. А что мне мешает позвонить друзьям в Москву, связаться со знакомыми журналистами и пригласить их сюда? Пообещаю показать им настоящую Тисульскую принцессу, наведу здесь шороху.

Возбужденные и охваченные радостными предчувствиями, мы покинули пещеру. Федор ненадолго нырнул вниз, выключил свет, и мы втроем вернулись в деревню.

Кира выразительно глянула на нас. Что и говорить, мы изрядно выпачкались, пока были в пещере. На лицах грязные разводы, носы успели загореть и облупиться. Вдобавок мы до того устали, что едва могли передвигаться. Но Кира не спешила нас отпустить. Прямо на пороге гостиницы она засыпала нас вопросами, куда нас занесло и что мы там увидели.

— Осматривали достопримечательности, — честно призналась я. Никакого вранья: сегодня я собственными глазами увидела главную достопримечательность этого края — Тисульскую принцессу.

На пороге нашего номера стояла корзина с красными розами. В корзине карточка: «Беатрис, жду тебя в ресторане в 20.00. Иван».

Ольга

Мы были настолько полны впечатлений и так устали, что не было сил даже поговорить о розах и приглашении Ивана. После душа мы просто рухнули в постель и проспали несколько часов. Стоит ли добавлять, что мне снилась несчастная девушка, которая мокла в чесночном маринаде миллионы лет, вместо того чтобы быть погребенной в земле, как положено человеку.

Проснувшись, я почувствовала себя еще более утомленной. Наше путешествие теперь казалось мне тяжелым испытанием: побывав в пещере, я чувствовала себя так, словно из меня вынули душу.

Болело все. Конечно, дело было в тех десятках километров, что мы прошли пешком. А психологически я, видимо, просто не могла совладать с информацией, которую пришлось переварить. Я была к этому не готова. Невозможно было поверить, что я своими глазами увидела тело, сохранившееся в течение стольких не лет даже — столетий.

Кто придумал этот раствор, который остановил естественный процесс разложения? И что тогда мы, современные люди, знаем о химии? Получается, ничего. Значит, существует высший разум. Он придумал нас, людей, но не допускает к главному знанию, не дает постичь правду о вещах и явлениях. Позволяет жить, но заставляет нас чувствовать себя простейшими существами.

Стыдно признаться, но корзина с розами от Ивана тоже не желала непротиворечиво вписаться в мою картину мира. Этому-то что от меня нужно? Почему я, когда есть красивая и умная Валентина? Что, если он задумал что-то такое, о чем мы с Валей не догадываемся? Вдруг он заодно с Федором и знает, что мы были в пещере?

— Собирайся, Беатрис! — Валя встала, набросила халат, потрепала меня по плечу. — У тебя свидание через сорок минут. Я на минуту в ванную, только умоюсь, а потом можешь плескаться, сколько хочешь. Только учти: у тебя длинные волосы, высушить и уложить их быстро не получится.

— Да не пойду я ни на какое свидание! — Я зарылась под одеяло. — Мы с ним, считай, не знакомы. Понятия не имею, что все эти люди здесь делают и что они ищут. А что, если он собирается выспрашивать о пещере?

— Знаешь, — донеслось из ванной, — я тоже об этом подумала. Мы же ничего не знаем о том, что здесь происходит и у кого какие отношения. Вполне возможно, что Федор — человек Ивана. Но ты все равно все отрицай. Играй восторженную дурочку, которую взрослый дядя пригласил на свидание. Поблагодари за розы, скажи, что тебе никто раньше не дарил такие красивые цветы. Если начнет расспрашивать, где мы сегодня были, скажи, что я журналистка, собираю материал о Тисульской принцессе, но все здесь молчат, как рыбы, так что ты сама уже не рада, что поехала со мной. Конечно, ты не веришь в эту принцессу и считаешь меня полной дурой. Вот и посмотрим, как он на это отреагирует.

Я представила себе этот наш разговор и расхохоталась. Валин совет развязывал мне руки. Теперь я хотя бы имела представление, как вести себя с ним. Восторженная дурочка — это амплуа идеально подходило к нашей ситуации.

Мы же все, что происходило в деревне, связывали тогда исключительно с тисульскими находками.

Мне и в голову не могло прийти, что этот немолодой мужчина, такой странный, незнакомый, мог заинтересоваться мною не как особой, разгадывающей тисульскую тайну, а совсем по другому поводу.

Валя нарядила меня в свое воздушное платье в горошек, заставила надеть черные туфли на шпильках, брызнула какими-то жасминно-лимонными духами и только потом отправила на свидание.

В ресторане, к моему удивлению, не было никого, кроме Ивана, сидевшего за столиком в напряженно-торжественной позе.

Неужели он выкупил весь ресторан ради нашего свидания? Где же будут ужинать его коллеги? На свежем воздухе, где-нибудь на террасе, в месте, о котором нам с Валей пока ничего не известно? Ладно, надеюсь, они не останутся без ужина.

Кажется, меня бил легкий озноб. Подрагивая, я подошла к столику. Иван тотчас поднялся, взял мою руку и поцеловал.

— А где все? — Я боялась взглянуть ему в глаза. — Ваши друзья?

— Сегодня пятница, они уехали в город. — Он помог мне занять место за столиком, сделал знак Андрею, и тот тотчас явился с ведерком крошеного льда, в котором торчало горлышко бутылки шампанского.

Кажется, я растерялась. Как себя вести, я не представляла. Все Валины советы вылетели из головы, как птицы, которых некстати вспугнули.

— Знаете, Иван, здесь я потеряла счет дням. Здесь все так удивительно. Люди странные, молчаливые...

Он разглядывал меня с жадностью, словно мы когда-то были любовниками и не виделись лет пять. Холодное сладкое шампанское немного успокоило меня. Наконец я сумела расслабиться. Неожиданно пригодились и Валины советы. Я вдруг расхохоталась:

— Знаете, мне никто еще не дарил таких красивых роз! — Что ж, роль дурочки у меня сегодня должна получиться.

— Теперь у вас всегда будут розы, я об этом позабочусь. — Иван улыбнулся грустно и нежно.

— Вы говорите такое всем девушкам?

— Нет, только вам.

— А, понятно. А почему на вашей визитке написано, что вы искатель? Что вы ищете?

— Думаю, эти визитки уже можно сжечь. — Он посерьезнел.

— Почему? Вы увольняетесь, уезжаете отсюда? Больше не будете искать?

— Уже нашел.

— Что нашли, серебро?

— Золото.

Это было неожиданно. Так вот в чем дело, здесь будет золотой прииск! Надо же, все думают, что самое ценное, что может хранить эта земля, — серебро. А здесь — золото!

Я открыла было рот, чтобы расспросить обо всем подробнее, а заодно не позволить ему свернуть на принцессу, чтобы, не дай бог, не проговориться о пещере, как вдруг услышала:

— Я нашел тебя, Беатрис.

Он положил ладонь на мою, слегка сжал.

— Да бросьте, — тихо засмеялась я. Только смех сейчас мог помочь преодолеть робость и необъяснимый страх перед этим человеком.

Он сидел напротив, совсем близко, и у меня была возможность хорошо разглядеть его. Седые, коротко подстриженные волосы, немного вытянутое лицо, длинные глаза с тяжелыми нижними веками. Высокие скулы, полные губы. Пожалуй, он был даже красивым. Странно, почему он не уехал вместе со всеми в город?

Я задала ему этот вопрос и получила ответ, который меня разочаровал. Конечно-конечно, он разведен, живет один и все такое. Я не верила. Мама научила меня не верить мужчинам. Слишком много историй я успела от нее услышать.

— Я вам не верю.

Он тотчас извлек из кармана паспорт, протянул мне. Действительно, развелся два года назад, в мае.

Принесли салат, мне подлили шампанского. Неожиданно мне так захотелось рассказать этому Ивану обо всем, что мы сегодня увидели, о настоящей тисульской красавице. Даже о розоватой воде, в которой она мариновалась миллионы лет, — эта вода не давала мне покоя. Меня прямо-таки распирало, так хотелось выговориться. Усилием воли я заставила себя услышать отрезвляющий голос Валентины: «Вполне возможно, Федор — человек Ивана».

— Вам, наверное, кажется, что мы с подругой такие чудачки, да? Прикатили, мол, из Москвы за острыми ощущениями — так вы о нас думаете?

— Приблизительно так. — Он улыбнулся и стал вдруг таким милым, хорошим, что я едва сдержалась, чтобы не погладить его по щеке.

— Правильно думаете. И очень жаль, что нам так и не удалось ничего узнать. Совсем.

— Да вы и в первую нашу встречу говорили то же самое. Если помните, я ответил, что все дело в проклятье, которое наложила на эти места извлеченная из гроба покойница.

Разговор покатился, как с горки, я успокоилась и теперь только слушала занимательные байки о тисульских находках. В сущности, он не сказал ничего нового — все это уже выложили на форумах пользователи, спрятавшиеся под разными никами, а за ними растиражировали десятки сайтов. Весь мир уже, казалось, поверил в эту историю, и я могла сожалеть только о том, что не имею права рассказать о настоящей принцессе, мертвой молодой красавице, которая оставалась там, в саркофаге.

Не помню, как оказалась в его номере. Лампа «Тиффани» разбрасывала разноцветные пятна — желтые, малиновые, зеленые. На столике стояла очередная бутылка шампанского, в корзинке благоухала душистая, в пупырышках земляника. Иван задавал вопросы, я отвечала, свернувшись в глубоком мягком кресле и блаженно улыбаясь. Мне было так хорошо, как не было, наверное, никогда.

Конечно, я опьянела, но это не мешало мне понимать, зачем он пригласил меня к себе, зачем приложил немало усилий, чтобы его мужской номер, пропахший сигаретным дымом, выглядел более-менее прилично. Догадывалась я и о размерах его кровати, находящейся где-то поблизости, за стеной. Возможно, он еще днем поручил горничной, вернее, самой Кире, горничных-то она, если верить ей, давно уволила — так вот, думаю, он еще днем попросил ее постелить свежее белье.

Надо же, в тот момент даже постельная тема не пугала меня так, как тисульская. Несмотря на выпитое шампанское и приятную расслабленность, я больше всего боялась продолжения разговора о маринованных покойницах. В конце концов, почему бы и не отдаться этому мужчине? Когда стало окончательно ясно, что пугающие вопросы он задавать не будет и я просто интересна ему как женщина, я с какой-то восторженной покорностью ответила на его чувства.

Не скажу, что в ту ночь я не испытывала вины. Конечно, я виновата перед Валентиной — оставила ее одну и заставила нервничать. Еще перед мамой, которая уж точно не одобрила бы подобное поведение. А может, и перед собой: я ведь хорошо понимала, что поступаю дурно, уступив мужчине, которого совершенно не знаю.

Но мне было с ним так хорошо и спокойно, что на какой-то миг я даже представила, что живу с ним вместе. Вижу его каждый день, слышу его голос, ловлю его улыбку. От одной этой мысли сердце начинало биться сильнее, и я была по-настоящему счастлива. Уж если на то пошло, кто из них двоих подумал обо мне в ту минуту, когда Валя решила отправиться в Сибирь на поиски приключений? Мама благословила меня, хотя понятия не имела, куда мы едем и зачем. Валентина и вовсе была занята собственными мыслями. Она — так мне тогда казалось — жила только своими фантазиями и воспринимала меня как непритязательную компаньонку, у которой было все, кроме собственной жизни, вернее, вообще ничего не было.

Я проснулась рано, оделась и выбежала из номера. Даже не взглянула на мужчину, с которым провела ночь, только осторожно сняла его тяжелую теплую руку со своей талии.

К счастью, дверь нашего номера была не заперта. Я проскользнула тихонько, чтобы не разбудить крепко спящую Валю, в голубых утренних сумерках — было пять — добралась до своей постели и нырнула под одеяло. Замерла. Что, если она и не заметила, что меня не было? Кто знает, как и где она сама провела вчерашний вечер и ночь.

Караваев

Поначалу я ее просто не воспринимал. Обыкновенная женщина, из простых. Сильная, ловкая, все-то у нее получалось, любое дело в руках спорилось. При ней я не испытывал стыда во время медицинских процедур.

Будь она моложе, я бы страдал, как страдал тогда, когда меня отмывала Валентина. После того, что пришлось тогда пережить, после того как я чудом остался жив, казалось бы, должно быть не до стеснения. Однако, даже испытывая сильнейшую боль от десятков ушибов, я, помню, стеснялся ее.

Красивая юная особа, единственная из миллиона прохожих, кто увидел человека в луже крови и не прошел мимо. Понимаю, вид у меня был еще тот, я действительно походил на бомжа. Но никто из тех, кто в то утро видел меня, не обратил внимания на костюм и джемпер. Никому и в голову не могло прийти, что человек в метро на полу в грязной, дурно пахнущей одежде может быть известным всей Москве бизнесменом Караваевым.

Да, я на самом деле дурно пах. От меня пахло кровью — моей и моих мучителей, подстрекателем которых стал мой собственный сын. Они били меня за городом, он сам попросил меня приехать туда, чтобы сказать что-то важное. Я был уверен, что он все же согласился лечь в клинику и разговор у нас пойдет об этом.

Разве мог я предположить, что сын и его обезумевшие дружки вытащат меня из машины, изобьют, ограбят, привезут с разбитой головой в Москву и швырнут на ступени лестницы, уходящей под землю. Что ими двигало, не могу понять до сих пор. Почему они не бросили меня там, на лесной дороге, где избивали ногами? Зачем привезли в Москву и оставили в метро? Чтобы кто-нибудь подобрал меня утром? Или чтобы меня обнаружили там мертвым? Неужели в их пустых от дури головах еще оставались какие-то мысли или это были только тени мыслей?

Не верится, что кто-то из этих идиотов подумал, что стоит отвести подозрение от себя. Скорее, все произошло случайно: кто-то из них вытирал перепачканные руки о траву и сказал, едва ворочая языком, грузите, мол, и поехали. Меня погрузили в какую-то машину, в какую-то хорошую, дорогую машину: я запомнил хромированные детали и натуральную кожу сидений. Потом они где-то раздобыли еще дури и поехали к одному из них домой, а по дороге выбросили меня. Так мне все это представляется.

Была ночь, иначе их бы заметили. Странное дело, но на меня не обратили внимания даже полицейские. Может, приняли меня за одного из тех, кто им платил.

Я пришел в себя на кровати в незнакомой квартире. За мной ухаживала девушка по имени Валентина. Сумасшедшая, не иначе. Зачем она меня подобрала — не понимаю. На моем месте мог оказаться любой бандит, мошенник, вор. Когда-нибудь я обязательно спрошу ее об этом. А пока мне остается только благодарить бога и эту самую Валентину за то, что спасла мне жизнь.

Признаться честно, я никогда не задумывался, насколько душевное здоровье зависит от физического. Только оказавшись в больнице и испытывая настоящие физические страдания, я понял, что раздавлен и морально. Вместе с мышцами, костями и головой болела душа. Я лежал, забинтованный, и плакал, как какой-нибудь слабак, от бессилия. Не сразу я понял, что в моего сына вселился дьявол, а потом уже перекочевал и ко мне. Была минута, когда я сам стал желать ему смерти, хотя не сразу отважился признаться в этом даже себе. Я же его отец!

Поначалу мой врач думал, что я проведу в больнице недели две. Обезболивающее, перевязки, капельницы — ничего больше. Но все оказалось серьезнее. Вдруг отказали ноги. Получается, мне повредили позвоночник? Паралич, в мои-то годы!

Я провалялся в этой больнице больше месяца. Стал ненавидеть больничные стены, даже медсестер уже не мог видеть, до того надоели их фальшивые улыбки. Одни и те же лица, одни и те же стены, тот же неистребимый запах боли и страха. Я был сломлен. Я не чувствовал своих ног. В какой-то момент я потерял веру в медицину и врачей и запросился домой.

В таком угнетенном состоянии я вернулся в пустую квартиру. К тому времени мои друзья уже поместили сына в модную — звучит цинично, но что поделаешь — клинику в надежде, что ему там помогут.

Те же друзья нашли мне медсестру и сиделку, и две эти неприятные особы, немолодые, дурно пахнущие, носящие всюду за собой запах больницы, мало того что истязали меня унизительными процедурами, еще и откровенно бездельничали.Повидимому, им казалось, что, раз я обречен, со мной и возиться нет смысла. И это при том, что их труд очень неплохо оплачивался.

Друзья пытались сделать еще что-то, чтобы укрепить мой дух, но все было бесполезно. Сколько раз я представлял себе, что за мной ухаживает молодая прелестная Валентина, юродивая, подбирающая на улицах всех страждущих. При одной мысли о ней становилось легче. Наверняка все же существует биополе, попав в которое ты наполняешься силой, и мир вокруг преображается — становится светлым и дарит надежду.

После двух недель домашнего заточения в компании обеих фурий я попросил одного приятеля отвезти меня к Комаровскому, человеку, которому я мог полностью доверять. Единственной моей целью было найти Валентину. Комаровский хоть и нотариус, но наверняка знаком с правильными людьми из органов и просто с теми, кто умеет добывать информацию. Именно поэтому я решил обратиться к нему. Между нами, найти человека, зная его место жительства, не так уж сложно.

Другое дело, что меня интересовали ее паспортные данные и просто все, что о ней можно узнать. Будь я здоров и перемещайся не в инвалидном кресле, сам бы справился. Но в тот момент, помимо физических ограничений, мне мешала действовать собственная душевная слабость. Словом, я был не в лучшей форме, поэтому решил прибегнуть к помощи Комаровского.

Данные Валентины были у меня на руках через двое суток. Биография моей спасительницы Валентины Юдиной была чиста, как слеза младенца. К счастью, она была не замужем. Стоит ли добавлять, что ни в каких грязных делах она не была и не могла быть замешана?

Юродивой моя спасительница тоже не была. Вполне здоровая девушка. Работает в кондитерской, снимает квартиру, ведет довольно скромный образ жизни. О ее семье удалось узнать немногое. Анна, ее родная сестра, была зарегистрирована в квартире их родителей в Питере.

Я хотел увидеть Валентину. Найти, отблагодарить, а заодно предложить ей пожить у меня —

поухаживать за спиной, которая предательски не желала меня слушаться. Мне почему-то казалось, что только с исчезновением пропахших фенолом медсестры и сиделки и с появлением в моем доме молодой энергичной девушки я стану выздоравливать. И еще я был должен Валентине: я же украл у нее последние деньги, покидая ее квартиру. Да, забирая из кухонного шкафчика четыре тысячи рублей, я, конечно, планировал их вернуть, причем как можно скорее и с процентами. Увы, болезнь не позволила этого сделать сразу по возвращении из больницы.

Теперь же, раздобыв данные ее паспорта, я с какой-то веселой легкостью поручил Комаровскому составить завещание в ее пользу. Не подбери она меня тогда в метро, я, скорее всего, погиб бы. Сейчас, оглядываясь назад, я понимаю, что этот поступок был подсказан интуицией, которая редко меня подводит. Вероятно, я тогда уже предвидел скорую смерть моего непутевого сына. Что касается моего собственного здоровья, я в тот момент находился в депрессии и был уверен, что и сам долго не протяну. Согласен, звучит нелогично, но именно мысль, что после моей смерти официантка из кондитерской сможет, наконец, стать счастливой, грела меня и придавала сил.

Удивительное дело, но, вернувшись от Комаровского с чувством выполненного долга, я почувствовал себя и физически намного лучше. Напряжение, затянувшаяся судорога, которую я принял за паралич, пусть никто из врачей и не произносил это слово, потихоньку отпускали.

Когда я понял, что могу время от времени передвигаться по квартире самостоятельно, я избавился от моих женоподобных церберов и нанял приходящую медсестру без возраста и запаха. А потом в моей жизни появилась Александра.

Я узнал ее сразу, как только увидел в дверях. Уборщица из конторы Комаровского. Она видела меня там, запомнила. Может, кто-то из персонала конторы выдал краткое досье на меня: «очень богат и очень несчастен». Подозреваю, что именно после этого она бросила швабру и тряпку и попыталась устроиться ко мне в сиделки. И хотя это была не Валентина, о которой я мечтал, а женщина довольно зрелая, что-то в ее взгляде, поведении, манере говорить меня подкупило.

Это потом я понял, что именно. Отчаяние! Она отчаянно лгала, что ищет в нашем доме квартиру, куда ее собирались взять в качестве сиделки. Отчаянно цеплялась за возможность хоть как-то изменить жизнь, почувствовать себя немного более защищенной. Она шла напролом, и ее целью оказался скучающий в инвалидном кресле богач, дни которого уже сочтены. О да, я был уверен, что она пронюхала о моем завещании и решила, что мне крышка. На что она надеялась, я мог только догадываться. Но я понимал ее. Понимал, как трудно ей, одинокой, сбежавшей от мужа-тирана и оставившей там, в далекой Молдавии, все, что нажито, в большой и злой Москве.

Обо всем этом я узнал тоже через людей Комаровского. Они пробили ее телефон, вышли на человека по имени Матвей — сторожа складского комплекса в промзоне. Его рекомендация могла бы обеспечить Александре самое теплое и спокойное место в столице — домработницей, поварихой или садовницей ее просто обязаны были взять всюду. И я принял ее на работу.

Никогда прежде я не встречал человека, который бы с таким рвением принялся за выполнение своих обязанностей. Сильная, энергичная, она все делала быстро, словно за сутки ей предстояло отработать еще у нескольких хозяев.

Первое, что она сделала, осмотревшись в квартире, — попросила разрешения распахнуть все окна. Стоило хлынуть в комнаты свежему воздуху, как я понял, что грядут благие перемены.

Дышать и двигаться с каждым днем становилось все легче. Александра любила поговорить, особенно во время массажа. Да, она взяла пару уроков у нашей медсестры и теперь регулярно делала мне отличный массаж ног. Занимайся я в тот момент делами, я не стал бы слушать все эти байки. Но делать мне тогда было нечего, так что я даже с удовольствием вникал в истории из ее прошлой жизни. Они, эти истории, вызывали сочувствие, я даже переживал за нее — и при этом чувствовал на своих оживающих ногах ее сильные и теплые руки. Что-то материнское ощущалось в этой заботе, и я окончательно доверился ей, расслабился.

Вскоре я узнал, что у Александры есть дочь, работает на текстильной фабрике где-то на окраине Москвы. Вот ради дочери моя Александра и старается, понял я. С грустной завистью я подумал о своем сыне, который с холодным сердцем заказал убийство отца.

Может, Александра и возжелала породниться со мной и выдать за меня, холостого, свою дочь, но пока в этом направлении не было сделано ни единого шага. Она ничего не предприняла, даже чтобы познакомить нас, из чего я сделал вывод, что это знакомство пока не входит в ее планы.

Так уж я устроен, что в каждом спонтанном проявлении благородства ищу следы корысти и лжи, а потому стараюсь никем не очаровываться. Так легче жить. Такова формула существования в обществе, где мне приходится вращаться. Единственный человек, которым я очаровался с превеликим удовольствием и хотел бы очаровываться и дальше, была Валентина. Вот уж кто далек от корысти и не думает о вознаграждении за доброту. Редкий человек, о котором я постоянно думал и страстно мечтал увидеть. Но предпринимать какие-либо шаги в этом направлении я смогу лишь после полного выздоровления. А поскольку мое здоровье, как я полагал тогда, в значительной мере зависит от Александры, я делал все возможное, чтобы она не оставляла заботу обо мне и продолжала делать массаж, разгоняющий мою застоявшуюся кровь.

Но разве мог я тогда предположить, что Александра, мой добрый ангел с большим материнским сердцем, способна на подлость? Разве мог думать, что в своем коварстве она зашла так далеко?! Кто знал, что ее тайные планы напрямую связаны с моей любовью, с девушкой, которую я выбрал себе в спутницы, с которой решил навсегда связать жизнь. Сейчас я и сам уже не знаю, смогу ли когда-нибудь простить Александру. Иногда мне кажется, что способность прощать людей — самая настоящая слабость. Но что, если это не так?..

Валентина

— Провела ночь с первым встречным, все с тобой ясно. — Я тормошила Олю, сладко посапывающую под одеялом. — Ты крайне легкомысленная особа. Если бы я знала это раньше, ни за что не взяла бы тебя с собой!

Конечно, все это было сказано шутливым тоном, но не без упрека. Дело было даже не в моральной стороне вопроса, я не ханжа, в моей жизни тоже случались романтические свидания. Просто сейчас все это как-то совсем не ко времени. И потом, я была твердо убеждена, что все люди здесь как-то связаны с миром паранормального, с этими странными захоронениями молодых женщин.

Если бы я собственными глазами не увидела одну из них, мне и в голову бы не пришло связать с ними этих искателей. Подумаешь, серебро ищут. Только где это видано, чтобы геологов кормили разносолами и деликатесами за государственный счет? Никакого сомнения, они занимаются чем-то очень важным и одновременно опасным. Я не исключала наличия радиации где-нибудь поблизости. Допускала — с ужасом и страхом, — что вредоносное излучение исходит как раз от этих захоронений. Вот почему их так охраняют и ценят — все они смертники.

Оля откинула одеяло, виновато улыбнулась. Она уснула, не смыв косметику, и теперь вокруг глаз чернела размазанная тушь, сильно смахивающая на синяки.

— Сама не знаю, как все получилось, — пожала она плечами. — Ты уж прости, надо было, наверное, позвонить, предупредить, что не буду ночевать. Но я же не знала, что все так случится. Думаю, выпила многовато. Зато так весело было. И как-то, знаешь, легко и хорошо.

— На то он и алкоголь, чтобы поднимать настроение, — улыбнулась я. — Ладно, проехали. Скажи лучше, как все прошло. Какой он, этот Иван?

Она подняла большой палец.

— Вот и ладно. Так что, будем искать этого Анисимовича, о котором говорил Кирилл?

— Я готова, как скажешь!

Понятно, чувствуя свою вину, она готова была теперь отправиться со мной хоть на край земли, что уже говорить о каком-то местном жителе.

Пока Оля плескалась в душе, я осмотрела ее сумку. Сердце мое колотилось, но я обязана была убедиться, что там нет записывающего устройства. Потом я зачем-то осмотрела весь номер — никак не могла поверить, что этот Иван проявил к ней интерес исключительно как к женщине.

Случись эта история в любом другом отеле, я восприняла бы все спокойно. Но здесь, в паре десятков километров от пещеры с жутковатой, пахнущей чесноком начинкой, мне все казалось подозрительным и даже опасным. Все люди, да хоть те же геологи, были в моих глазах представителями тайной конторы по изучению аномалий. Иван, разумеется, был из их стана, а потому, сблизившись с Олей, становился для нас вдвое опаснее.

В любом случае мы не должны были подавать виду, что чем-то встревожены, о чем я и сказала Оле.

— Да я и так играла роль полной дуры — до такой степени, что легла с ним в койку. — Она попыталась обратить все в шутку.

Ладно, положим, не желание притвориться дурочкой заставило ее это сделать. Никто не мог заставить ее переспать с Иваном. Проще будет думать, что он просто понравился ей. Не хотелось уж очень пугать Олю, тем более давить на нее, поэтому я так же шутливо поздравила ее с обретением любовника, понимающе кивнула, мол, почему бы нет, после чего мы отправились на завтрак.

— Ты правда не сердишься? — донимала она меня уже в ресторане, пока мы поджидали нашу овсянку с кофе.

Бодрая, как всегда, Кира, тоже непонятно для чего играющая с нами в кошки-мышки и зачем-то разыгрывающая жертву, была задумчиво-счастлива, словно витала где-то на небесах, еще не успев остыть от утренних объятий возлюбленного. Все вокруг дышало фальшью, я чувствовала это всеми порами кожи. Даже кофе, который принесла Кира, показался замешанным на отраве.

— Не знаю, как тебе сказать, — начала я, когда Оля взялась за ложку. — И пугать тебя не хочется, и молчать не могу. Чувствую, что не хотят нас здесь. Определенно над нами витает опасность. Все, все за нами следят. Наверняка та же Кира уже знает, что мы были в пещере. А раз все молчат, значит, есть причина. Пускай все местные напуганы, смертельно напуганы, понимаешь? Но нам-то кто может запретить рассказывать, что мы видели?

— Никто!

— Вот и я о том же. Давай поступим так. Сейчас отправляемся к этому Анисимовичу. Может, он, как наш славный проводник Федор, никого не боится, потому что собирается уезжать и ему все трын-трава. Поговорим с ним, вдруг он действительно что-то знает, а потом уедем отсюда. Все, что мне нужно было, я увидела. Мы нашли ее, настоящую Тисульскую принцессу, вернее, одну из них. Это главное. Теперь мне есть о чем писать, и не репортаж, а настоящую книгу.

— А как же Иван? — растерянно проговорила Оля. Ее губы были вымазаны кашей, как у ребенка.

«А ведь ты в самом деле ребенок, — подумалось мне. — Сущий ребенок, готовый влипнуть в очередную нехорошую историю, грозящую закончиться абортом или родами». Наверняка она этой ночью не предохранялась. Понятно, почему я подумала об этом. Вспомнила, как увидела ее впервые, сидящую на подоконнике. Она была после аборта — несчастная, больная.

В сущности, не так уж много времени прошло с тех пор, и она мало в чем изменилась. Не прибавилось ни уверенности в себе, ни какой-то драйвовой нотки. Милая девочка, непонятно почему готовая следовать за мной куда угодно.

— Ты что, влюбилась?

— Нет, конечно! — вспыхнула она. — Глупости!

— А что в этом такого особенного? К счастью, мы живем в такое время, когда можно общаться по интернету, сама знаешь это не хуже меня.

Как-то сразу стало скучно. Я представила себе несчастную Олю, страдающую от неразделенной любви. Вот она часами, сутками пытается дозвониться, достучаться до своего далекого призрачного любовника... А ведь именно этот вариант светит ей в ближайшем будущем, так мне казалось. Или все дело во мне, разочаровавшейся в мужчинах и ничего от них не ждущей?

Кира проводила нас взглядом и послала напоследок воздушный поцелуй. С чего бы это?

Мы вышли из гостиницы, вдохнули свежий лесной воздух. Вот бы запастись им перед Москвой! Наполнить им легкие, разлить по волшебным бутылкам.

— Как же здесь красиво! — Оля залюбовалась богатой таежной зеленью, окружавшей нас со всех сторон. — Такие могучие ели... Красота! Скажи, ты ведь наверняка подберешь такие слова, чтобы читатели почувствовали этот хвойный дух, да?

— Постараюсь. — Я отвела глаза. Пока я смутно представляла себе, что на самом деле будет в моей книге. Да и будет ли эта книга вообще.

Дом Анисимовича мы нашли быстро. Он стоял на отшибе, на самом краю поселка, где дорога, ленясь держаться в своих сложившихся веками границах, сузилась до едва заметной тропинки.

Деревянный сруб мало чем отличался от других изб, разве что забор перед домом был трухлявым, с покосившимися досками, обезображенными ржавыми потеками. Звонка на столбе, который поддерживал калитку, понятно, не было. Мы просто приоткрыли ее: для начала нужно было выяснить, нет ли здесь собаки.

Нет, вроде лая не слышно. Перед нами был просторный вытянутый двор. К стене сарая привалились колья, какие остаются после осенней уборки огорода, рядом возвышалась стопка старых кирпичей, а за ними был навален уже самый настоящий деревенский хлам.

Выщербленные, давно не крашенные ступеньки высокого крыльца. Все ставни на окнах, кроме одного, затворены и заперты на ржавые крючки.

Я постучала кулаком в дверь, и мы затаились в ожидании.

— Чувствую, что там кто-то есть, — прошептала Оля мне в ухо. От прикосновения ее теплых губ мне стало щекотно.

Наконец послышалось шарканье.

— Кто там?

Голос явно принадлежал старику.

— Скажите, вы Анисимович?

— А если и я?

Дверь распахнулась и чуть не сбила нас с ног. Перед нами был невысокий хиловатый старик. Весь его вид просто кричал о глубочайшем похмелье. На старике были новые синие джинсы с темными пятнами, какие бывают от воды (может, их оставил спасительный огуречный рассол), и черная футболка с надписью «Ночую там, где меня любят». Я готова была расхохотаться — представила себе это болотное чудище в объятиях пышнотелой блондинки.

— Две тысячи, — прошамкал он беззубым ртом.

— Что?

— Не боись, не евро. Рубликов!

Мы с Олей оторопели.

И хотя деньги пора было экономить, любопытство, конечно же, взяло верх. Краем глаза я заметила, что Оля вполне одобряет мой порыв достать кошелек.

— Пять минут, не больше. И, само собой, не прикасайтесь к ней. Я к вашему приходу подсушил ее, привел в порядок, одежду ей сменил. Как только уйдете, сразу же обратно в ванну.

Час от часу не легче.

— Так это от нее так чесноком разит? — Оля, к моему стыду, раньше меня догадалась, кого нам собираются показать. Мне такое и в голову не могло прийти!

Я почувствовала, как она схватила меня за руку и потянула за собой в глубь избы, где за ситцевой занавеской, которую старик Анисимович театрально распахнул перед нами, лежала точно такая же девушка, как та, из пещеры. Темно-рыжие волосы были влажными. Выходит, ее действительно незадолго до нашего возвращения извлекли из раствора?

Точно! Запах перегара — это одно, но и свежим чесноком здесь пахло определенно.

У меня закружилась голова. Но не от запаха — мне показалось, что девушка открыла глаза. И немедленно закрыла.

— Ей плохо, не видите, что ли? — со злостью крикнула Ольга, подхватывая меня. — Дайте нашатырь!

— Да нет у меня нашатыря! С чего ей плохо-то стало? Мне сказали, вы привычные уже.

Ага, значит, в деревне действует местная мафия, выжимающая из редких гостей хоть какие-то копейки. Неплохой бизнес — показывать в нарушение серьезного запрета сохранившихся тисульских принцесс. Раз ему сказали, что мы привычные, значит, знает, что мы были в пещере.

Я пришла в себя, хотя с минуту-две точно была без сознания. Голова продолжала кружиться.

— Мне показалось, что она открыла глаза. — Я умоляюще взглянула на Анисимовича.

— Так и есть, открыла. Иногда что-то там срабатывает, уж не знаю что, и она шевелится. Мне и самому от этого дурно. Потому и пью.

— Что же у вас ее никто не забрал? Те же ученые? — Оля прикинулась наивной дурочкой. Надо сказать, у нее это неплохо получалось.

— Или думаете, о ней никто ничего не знает? — подлила я масла в огонь.

— Мой дом — моя крепость. Пусть только попробуют сунуться! И я же не дурак какой, заплатил кому надо. Да и кто поверит-то? Все знают, что Анисимович пьяница.

Я впилась глазами в девушку на узком ложе. Топорщившиеся кружева на груди не позволяли понять, дышит она или нет.

— Она дышит?

— В том-то и дело, что дышит. Тихо так, но дышит. Потому и лежит как живая. Думаю, в ее жилах течет эта чесночная вода. Вот сердце и бьется, не дает ей загнить.

Оля рухнула прямо на пол, мы не успели ее подхватить. Не выдержала таких разговоров, а может, увидела, что покойница задышала.

Кожа ее была белой, неестественно белой, а под глазами темнели какие-то дугообразные пятна.

— Вы не продадите мне ее? — Я помогла Оле подняться и усесться на табурет. — Заплачу большие деньги.

Блеф не моя стихия. Сейчас я бы сама не смогла объяснить собственное поведение. Но ведь я произнесла это, как если бы у меня в действительности были тысячи евро.

— Э, нет! — Он хитро прищурился, и глаза-щелки окончательно спрятались в отечных от похмелья веках. — Думаете, вы первые, кто хочет ее купить? Деньги, сколько бы их ни было, я все равно сразу пропью и помру. А мне это нужно?

Анисимович взял с нас за просмотр две тысячи рублей и натурально вытолкал из избы.

— Вы только никому не сказывайте. — Он кивнул в сторону запертых ставен, за которыми спала полуживая-полумертвая принцесса. — Не знаю, сколько она продержится, пока не испортится, но уж пусть люди посмотрят на нее, пока можно.

Он был прав. Что толку рассказывать о ней, если в деревне и так наверняка знают о ее существовании. Раз старика до сих пор не арестовали за глумление над покойницей или сокрытие важной археологической находки, значит, так оно и должно быть. Не нам вмешиваться в здешние порядки.

Мы вернулись в гостиницу. Предстояло все осмыслить и разработать план дальнейших действий. Конечно, будь у нас больше денег, можно было бы задержаться здесь до тех пор, пока еще кто-нибудь из предприимчивых местных жителей не удивит нас очередной находкой. Но мне хватило того, что удалось увидеть за пару дней.

— Предлагаю купить билет в Москву на завтра. Утренний поезд в девять часов. Если наберем денег, возьмем купе. Попросим Киру заказать такси на шесть утра, выпьем кофе и поедем. Ты как, согласна?

— Я могу попросить маму, она купит нам билеты, — осторожно предложила Оля — наверное, не была уверена, что я соглашусь.

— Честно говоря, было бы отлично. Вернусь, выйду на работу и через месяц-другой все верну.

— Да ты не спеши, все будет нормально. Я бы на твоем месте, умей я писать, сразу принялась бы за роман. Глядишь, больше денег бы заработала, чем в твоем кафе.

Она действительно верила в меня, она одна, и это придавало мне сил.

— Да, и мы же не можем отправляться в дорогу без лишнего рубля в кармане, ведь так?

— Так-то так. Хорошо, звони маме, пускай покупает. Сейчас я сброшу тебе свои паспортные данные, а ты передашь ей.

Мысль о том, что уже завтра в девять мы будем сидеть в купе, успокаивала. Надо ли говорить, что, с тех пор как мы сюда приехали, меня ни на минуту не покидало беспокойство. Сначала я переживала, что отправилась на край земли искать сестру, а ее в этой таежной деревне не оказалось. Потом испугалась этой вслух высказанной мечты о книге. Я понятия не имею, как это делается, самое большее, на что я способна, — написать коротенькое эссе на эту тему. А уж когда я своими глазами увидела мертвых девушек, стало ясно, что отступать некуда, теперь точно придется писать эту книгу, чего бы мне это ни стоило.

Конечно, меня не переставала мучить загадка, каким образом с этими принцессами связана моя сестра. Почему именно ее фото выплывает в поисковике каждый раз, когда задаешь запрос «Тисульская принцесса»?

Разве могла я предположить, что ответ на этот вопрос я получу совсем уже скоро?

Чтобы не смущать меня и спокойно поговорить с мамой, Оля вышла из номера. Господи, подумала я в ту минуту, какое же это счастье иметь маму! Вот только одного я не могла понять: как мать отпустила Олю со мной? Почему не испугалась ни расстояния, ни очевидной бесцельности этой затеи? Будь в нашей поездке хоть какой-то смысл, тогда я бы поняла. А так? Поиски сестры малознакомой особы, которую Оля считает своей подругой? Н-да, мутноватый мотивчик.

Она вернулась сияющая. Значит, все получилось.

— Какая у тебя продвинутая мама — в интернете разбирается, может билеты купить.

— Ей хозяева помогают. Там, в доме, где она работает.

Сияние не ослабевало. Глядя на меня, Оля продолжала улыбаться, а глаза словно хотели что-то сказать.

— Что, что случилось?

— Времени у нас много, завтра же уезжаем. Иван позвонил — ждет меня внизу, в машине.

— Так. И куда ты с ним собралась? — Кажется, в моем тоне появились материнские нотки. — Оля!

— Да просто покатаемся по окрестностям. Он обещал показать интересные места!

— А ты не боишься? Ты же его совсем не знаешь.

— Ты извини меня, Валя, но это моя жизнь. Пропадать, так с музыкой!

Что же теперь будет? Я чувствовала свою ответственность за нее. Она здесь из-за меня, если с ней что-нибудь случится, виновата буду только я. С другой стороны, она вполне взрослая девочка, имеет право сама распоряжаться собственной жизнью. Интрижка, приключение — да почему нет? Пусть развлечется.

Она все еще стояла передо мной, счастливая, сияющая, и была такой напружиненной, такой готовой сорваться с места и телепортироваться к своему любовнику, что я невольно улыбнулась.

— Ладно, иди, но будь осторожна.

— Ты прямо как моя мама! — Она рванула ко мне, чмокнула куда-то в нос и исчезла.

Я спустилась следом за ней в холл. На ресепшен никого не было, и немудрено, ведь Кира занималась в гостинице абсолютно всем. Оставалось только диву даваться, когда она все успевает.

Сквозь стеклянную стену, открывающую панораму внутреннего двора, я увидела черный джип. Он медленно тронулся и покатил прочь от гостиницы, увозя куда-то в лес мою подругу.

С тяжелым сердцем я повернула было назад, к лестнице, как вдруг входная дверь распахнулась, и на пороге появился высокий молодой мужчина в джинсах и белой рубашке. Загорелый, красивый, явно нездешний.

Как по команде за стойкой возникла Кира. Увидела гостя, улыбнулась.

— Привет! — Он поприветствовал ее рукой.

— Здорово, коли не шутишь! — помахала она в ответ. — Твой номер еще не успел по тебе соскучиться.

— А я вот успел.

Кира бросила ему ключи, играючи, легко, он поймал их и быстро зашагал к лестнице. Меня он не заметил, как если бы я была прозрачной.

Где я его видела? Откуда я его знаю? Но знаю же, знаю!

Я бросилась к стойке, но Киры, у которой можно было хоть что-нибудь узнать, уже и след простыл. Нет, вот как она всюду успевает? И как умудряется оказаться за своей стойкой всякий раз, когда это нужно?

В этот момент я вспомнила, где видела его раньше, и меня прошиб пот.

Это был муж моей Ани. Вот только имени его я не знала.

Александра

Задача была не из легких — купить по Интернету билеты от Кемерова до Москвы. Одно дело бродить по Сети, проваливаясь в кулинарные сайты, или смотреть фильмы, другое — правильно оформить покупку билета, внести все данные. Дело ответственное и трудное. Но я все равно обрадовалась: Олечка собирается домой, в Москву! Значит, все в порядке и я ее скоро увижу.

Сергей Иванович сидел в кабинете за компьютером, когда я, постучав и получив разрешение войти, попросила его помочь с этими билетами.

— Да легко. — Он оторвался от экрана, выпрямился, сделал несколько упражнений, чтобы размять мышцы. — Давай сюда свои записи.

Паспортные данные Оли и Валентины и все о своей банковской карте я аккуратно записала на листочке. Сто раз проверила, чтобы, не дай бог, не ошибиться.

— Ты пока иди, занимайся своими делами, а я сначала найду нужный сайт. Это требует времени, — выпроводил он меня. — Позову, когда все будет готово.

Ничего другого не оставалось. Я отправилась готовить салат. Мысли мои крутились вокруг Оли. Вдруг пришло в голову, что их скорое возвращение может быть вызвано не тем, что Валентина не нашла следов сестры, а совершенно другим. Что, если моя Оля проболталась, выдала себя с головой, утонула в дружеских чувствах к Валентине? Что, если она призналась, что их знакомство подстроено и это я уговорила ее сблизиться с ней? Вдруг они обе едут сюда, чтобы во всем разобраться?

Раздался телефонный звонок. Матвей, сторож с промзоны, настоящий хороший друг. Да, он много раз выручал меня, даже спас нас с Олей от голодной смерти в ту страшную зиму. Но сейчас он, скорее, был напоминанием о событиях, которые мне хотелось навсегда забыть. На телефонном дисплее высветилось его имя, и мое сердце зашлось от нехорошего предчувствия.

— Привет, Александра! — услышала я и по веселому и спокойному голосу поняла, что ничего страшного не случилось.

— Привет, Матвей! Рада тебя слышать! Как дела?

— Да у меня-то все в порядке. Разговор к тебе есть.

— Что-нибудь случилось?

— Ничего такого, из-за чего стоит тревожиться.

— Куда мне приехать?

— Никуда. Я здесь, под твоими окнами.

— А как ты меня нашел?

— Нашел вот.

Я спустилась, вышла за охраняемые ворота, увидела его скромную машину. Зачем он приехал? Иван, это о нем он хочет мне рассказать? Стало быть, нашли труп. Пот лился по лицу ручьями, я едва успевала вытирать его платком.

Матвей за стеклом сделал мне знак, приглашая сесть в машину рядом с ним.

— Матвей, еще раз привет! — Мы крепко обнялись. — Честно скажу, и рада тебя видеть, и что-то тревожно мне.

— Да нет, ничего такого не произошло. Ты Жору помнишь?

— Шутишь? Как я могу его забыть? Столько времени работали бок о бок. А с ним что стряслось?

— Да брось ты уже! Сначала скажи: у тебя самой все хорошо? Не обижает хозяин?

— Сергей Иванович-то? Что ты, он замечательный человек.

— Это самое главное.

— Постой, а откуда ты о нем знаешь? Как ты вообще меня нашел?

— Так его люди справки о тебе наводили.

Вот так, значит. А я-то думала: как он меня, человека с улицы, сразу взял в дом? Выходит, проверял. Но как на Матвея вышел?

— Не знаю, как они меня нашли, но нашли. — Матвей словно читал мои мысли.

Выглядел он, как всегда, хорошо. Видно, что мужчина ухоженный, одежда на нем опрятная, щеки гладко выбриты. Скромный сторож, доброй души человек, хороший семьянин. Жаль, мне не повезло и я не встретила на своем пути такого.

— Что же ты им сказал?

— Всю правду. Что ты работящая, скромная, честная.

А что убийца, они, интересно, знают?

— Так что там с Жорой?

— Возле вашей дачки труп нашли, одного из строителей... Полиция долго трясла нашего Жорика, но он, похоже, откупился. Или просто отпустили, потому что алиби железное. Я переживал, что тебя станут искать...

Матвей так взглянул на меня, что я поняла: он все знает. Догадывается, что это я убила одного из братьев. Да и как не догадаться, если мы с ним укладывали Катю в машину. Получается, прибив этого насильника, я подставила его. В полиции сопоставят время смерти Ивана и появление Матвея с Катей в больнице, и им ничего не будет стоить повесить на него это убийство.

— Тебя не потревожили? — Слова давались мне с трудом, горло словно забили ватой.

— Нет, слава богу. Я сказал, что нашел Катю в кустах возле дороги.

— Ты прости меня, что позвонила тебе тогда...

— А кому ты еще могла позвонить? Главное, что все обошлось. Говорю же, Жорку отпустили, но он все бросил и уехал. Как пропал. А недавно вдруг объявился, пришел собственной персоной ко мне в сторожку. Тобой интересовался.

— Снова по этому делу?

— Нет, по другому. Он гостиницу открыл рядом с Павелецким вокзалом. Небольшая, из двух квартир. Все оформил. Ты ему нужна. Ищет тебя, чтобы на работу взять.

— Но у меня уже есть работа. — Я перевела дух. Нет, не готова я поверить, что понадобилась Жорику из-за какой-то там гостиницы. Хочет небось все выяснить насчет того парня, который изнасиловал Катю. Может, полицейские и отпустили его с условием, что он меня найдет.

— Он не такой, не бойся. — Матвей продолжал читать мои мысли. — Я был там у него. Зашивается мужик, не справляется один. А брать кого-то с улицы боится. Сама понимаешь: вокзал рядом, разные люди останавливаются. Ему нужен проверенный человек вроде тебя. А кроме всего прочего, подозреваю, Саша, что он к тебе неровно дышит.

— Что такое ты говоришь? — Я перебила его, вспыхнула. — Я вон на сколько лет его старше!

— И что с того? Баба хоть куда, красавица. Сейчас выглядишь просто супер. Москвичка, ни дать ни взять. Честно, рад за тебя. Тебе бы еще от страха избавиться, он у тебя на лице большими буквами написан.

— Избавишься здесь, как же, — заскулила я и расплакалась, уткнувшись ему в плечо. — Он прямо стоит у меня перед глазами!

— Пройдет. Как все случилось?

— Он вернулся. Не знаю, как его зовут, про себя я называла его Иваном. Пьяный был, вернулся, наверное, чтобы убить меня, чтобы я не донесла на него в полицию. Набросился на меня и начал душить. Сама не знаю, откуда только силы взялись, — я извивалась, кусалась... Потом стала бить по лицу, как по боксерской груше. Вся в крови была. А после камнем его. Вот и все. В кустах его оставила, собралась и рванула оттуда. Остальное ты знаешь.

— Если бы не ты его, тогда он бы тебя убил. Ты все правильно сделала. А призналась бы, тебя бы посадили, ты же тогда была не москвичка. — Он грустно улыбнулся. — Знаешь, сколько я таких, как ты, встречал там, в промзоне? Жалко вас, баб. Каких только историй с вами не случается, когда вы без мужиков приезжаете сюда в поисках лучшей доли. Ладно, вот тебе телефон Жоры, а звонить или нет — решай сама. Понимаю, ты сейчас в богатом доме, хозяин хороший. У меня тоже имеются кое-какие связи, я узнал, что за человек. Сын у него недавно умер, наркоманом был. Так вот, это он временно, твой Сергей Иванович, обезножел. От стресса, понимаешь? Поправится, и ты уже не будешь ему нужна. И что тогда? Снова придется искать работу.

— Ты все о Караваеве знаешь. Откуда?

— Я же не только тебе помогал. Есть человек, двенадцать лет назад я его вытащил из одной передряги. Сейчас в полиции работает, начальником стал. Он мне все и рассказал.

— А обо мне что-нибудь рассказал?

— О тебе я и так все знаю. Да, как там Катя?

— Поправляется. Сейчас в реабилитационном центре, мы с Олей ее навещаем. Думаю, скоро выйдет. Я ей уже кое-что из одежды приготовила. Словом, мы ее не оставим. Она же здесь совсем одна.

— А Оля твоя как?

— С подругой в тайгу отправилась.

— Куда?

— В Сибирь. Подруга — писательница, книгу пишет. Поехала за впечатлениями, а Оля с ней.

— Далековато их занесло, — заметил Матвей. — Ладно, бывай, Александра. Рад был тебя повидать.

— И я рада.

Мы обнялись на прощание, Матвей уехал, а я еще долго смотрела ему вслед и тихонько вытирала слезы. Я чувствовала тогда огромное облегчение, мне даже показалось, что я окончательно освободилась от своих страхов.

Домой я вернулась в приподнятом настроении. Надо же, какое странное слово «дом»! Мы произносим его в мыслях даже тогда, когда речь идет о чужом доме, в котором мы прижились, где нам хорошо и спокойно.

Я постучала в кабинета к Караваеву.

— Как дела, Сергей Иванович? Получилось купить билеты?

И уткнулась в его суровый взгляд.

— Кто такая Валентина Юдина?

— Подруга моей Оли.

До меня только сейчас дошло, что я подсунула ему данные паспорта его знакомой. Той самой знакомой, вокруг которой мы с Олей устроили эту чертову пляску и на шею которой набросили петлю. Как я могла такое допустить?

Караваев не дурак, он знает, что я работала у Комаровского, а потому могла знать — подсмотреть, вызнать, порыться в бумагах, — что понадобилось Караваеву в его конторе. Валентина Юдина — единственная наследница всего его состояния. И вдруг близкая подруга моей дочери.

— А что такое?

Нужно было как-то выходить из положения.

— Где она сейчас, говоришь, в Кемерове? Что она там забыла?

— Да откуда мне знать? Она вроде книгу пишет о Сибири. Или сестру там ищет.

— А как твоя дочь с ней познакомилась?

— В кафе. На Валю набросился какой-то маньяк. Оля тоже там была. Не могу сказать, что моя Оля ее спасла, чего не было, того не было, но потом, когда этот парень ушел, она успокаивала Валю. А почему вас это интересует? Она что, ваша знакомая?

— Что же было дальше?

Врать было трудно, особенно выдерживать этот его взгляд.

— Этот урод проследил за Валей до самого дома и снова набросился на нее. Уж не знаю, чем там закончилось, но Валентина решила сменить место жительства. Какая-то ее знакомая разрешила ей пожить в своей квартире на Цветном бульваре. Валя позвала с собой мою Олю, они стали жить вместе. Вот и вся история.

— И теперь они обе в Кемерове?

— Да. Если вы купили им билеты, значит, скоро вернутся.

— Все в порядке. Можешь позвонить своей Оле и сказать, что билеты куплены. Сейчас я их распечатаю, продиктуешь ей всю информацию. Хотя постой, мы можем прямо сейчас связаться с ними по скайпу. Ты знаешь ее скайп?

— Знаю, но не умею пользоваться, — в растерянности призналась я. — Да и Оля не очень любит этот скайп, считает, что это что-то вроде контроля, понимаете?

— Но телефон Валентины ты знаешь? Я мог бы поискать ее в вайбере.

Я не поняла ничего из того, что он сказал, но телефон Вали дала. Пускай сообщит, что взял билеты, может, это и правда к лучшему. В любом случае я должна была вести себя естественно, как если бы понятия не имела, что связывает Караваева с Валентиной. Ни за что нельзя вызвать подозрение! Если бы я отказалась дать телефон Вали, это выглядело бы неестественно. А где гарантия, что ему этот номер без меня неизвестен? Он ведь тоже играет в какую-то свою игру.

Самым трудным было сохранить, что называется, хорошую мину при плохой игре. Мне показалось, что и Сергей Иванович озабочен тем же. Получив заветный номер, он ни слова не сказал и заперся в своем кабинете.

Сколько можно ломать голову над тем, что их связывает? Роман? Этот вариант был, конечно, самым правдоподобным. Хотя если учесть разницу в возрасте, он вполне мог быть и ее отцом. Но если это так, зачем писать завещание? Она и так унаследует все деньги на законных основаниях. Хорошо, допустим даже, что она его внебрачная дочь. Все равно, с анализом ДНК она с легкостью докажет родство. Что же, получается, она не знает, кто ее настоящий отец, все дело в этом? А если не знает, где гарантия, что узнала бы, не будь завещания?

Я уже успела пожалеть, что устроилась на работу именно к Караваеву, к человеку, который имел самое прямое отношение к моему плану. Это все моя жадность, ей-богу. Могла бы себе тихо мыть полы в конторе у Комаровского и дожидаться дня, когда мой план сработает. Но захотелось и место хорошее получить, и в богатом доме на всем готовом пожить. И вообще быть в курсе всего, что там происходит.

Иногда мне кажется, что во мне сидит еще одна женщина, точнее баба, грубая и злая тетка, которая мечтает о чужом наследстве и ждет смерти богатенького Сергея Ивановича. А где-то рядом, под сердцем, притаилась настоящая Саша — она потихоньку делает Караваеву массаж и желает ему выздоровления. Когда-нибудь та грубая тетка свернет шею мягкой и доброй Саше. И что тогда делать?

Еще я волновалась, думая о предстоящем разговоре с Олей. Как она воспримет историю, в которую я ее втянула? Простит ли меня, когда узнает, что я заставила ее подружиться с Валентиной, а потом жестоко предать ее, оставить, разорить? Но что такое эта их дружба по сравнению с настоящей жизнью и ее бедами? Разве ради собственного благополучия нельзя переступить через дружбу, всего один раз, чтобы потом твои дети и внуки жили счастливо? Люди и не через такое переступают.

Мягкая Саша перевернулась где-то под сердцем и всхлипнула: нет, не простит тебя Оля, станет презирать, бросит, и тогда некому будет строить эту самую счастливую жизнь. Ты останешься одна, и дочь до конца твоих дней будет считать тебя преступницей.

Только где же преступление, если Сергей Иванович жив и, слава богу, здоров? Причем здоров во многом благодаря мне! Тогда за что же меня презирать?

Я заправила салат маслом и села у окна — подумать, помечтать, поплакать.

Валентина

Можно было, конечно, постучать в дверь номера, где остановился этот мой зять, и поговорить с ним. Но я не знала, действительно ли он муж Ани, не говоря уже о том, что не было никакой гарантии, что они до сих пор вместе. Вдобавок ко всему я отлично знала свойство своего зрения видеть что хочется и кого хочется даже тогда, когда ничего этого в реальности нет. Выходит, я приехала сюда найти хотя бы след сестры, а поскольку пока ничего не обнаружила и уже завтра мы собирались уезжать, ничего не оставалось, как узнать в новом человеке моего зятя. Да еще зятя, которого я никогда вживую не видела!

Но кем бы он ни был, ясно, что он прибыл сюда явно по делам. Это давало некоторую надежду, что вскоре он покинет номер и отправится за тем, ради чего приехал.

Я решила проследить за ним. Занятие трудное и опасное — это же не Москва, где можно затеряться в толпе, а малолюдная деревня. Идти за ним я не могла: ему стоило только обернуться, как он бы меня заметил. Кто знает, если он действительно мой зять, тогда вполне может меня узнать. Уверена, в нашей питерской квартире найдется альбом, и не один, с семейными фотографиями. И у Ани в компьютере наверняка имеются мои фото.

Надеяться, что он, узнав меня, кинется навстречу с криком «Наконец-то, вот и Валечка!», не приходилось. Поэтому я просто затаилась за кустами рядом с гостиницей, откуда просматривалась вся улица, уходящая вниз, к лесу. Я нисколько не была удивлена, когда поняла, куда именно он направляется. В этой деревне было всего одно место, которое могло заинтересовать приезжих вроде нас с Олей или этого парня, — дом Анисимовича.

Но мы с Олей были здесь людьми новыми. А вот он, судя по тому, что принадлежит к числу постоянных гостей отеля, точно знает, зачем приехал. Никакого сомнения: он, как и мы, интересуется тисульской покойницей, которую дед Анисимович показывает втихаря за пару тысяч рублей. Не исключено, что он знает и о существовании пещеры с саркофагом.

Что ж, развлекаться, так по полной программе. Во двор старика я вошла минут через пять после зятя. Долго стояла на крыльце, прислушивалась к голосам и вычисляла, откуда они доносятся, чтобы проникнуть в дом, когда момент окажется подходящим. Перекрестившись скорее от страха, чем в надежде на божескую помощь, я тихонько приоткрыла дверь и не дыша вошла в сени. В нос ударил запах старого дерева и скипидара. Так пахнет в провинциальных краеведческих музеях или в таких вот старых деревянных домах. Конечно, потягивало чесноком.

Я прижала ухо к двери.

Анисимович оправдывался:

— Что я могу с ней сделать? Требует своего. Если не принесешь, говорит, выйду из дома и всем все расскажу. Или вообще позвоню в полицию и скажу, что ты удерживаешь меня насильно. А кто ее удерживает? Могла бы и раньше уехать, вместе с вами. Так не захотела же!

— Дура, вот и не захотела. Она же тогда не просыхала, ты помнишь? Вся проспиртовалась!

Голос у моего зятя был хорошо поставлен, довольно низкий, с приятной хрипотцой. Поначалу я только на тембр и обратила внимание. Представила его в обществе моей сестрицы, и эта картинка так хорошо сложилась у меня в голове, что я на самом деле поверила, что они пара. Уж я-то знаю вкусы своей сестры, так что вполне допускаю, что этот мужчина мог претендовать на роль ее мужа. Породистый, крупный красавец самец, к тому же явно не обделенный интеллектом.

— Я должен увезти ее отсюда. Был бы ты человеком, сам проводил бы в аэропорт, посадил на самолет и отправил в Питер! А так вон сам стал такой же, как она. Я ведь только ради нее и приехал. Думаешь, у меня дел никаких нет? Вот что ты за сволочь, скажи? Я дал тебе возможность заработать, а ты не мог сделать для меня самую малость!

— Я тебе, Савва, уже все сказал. Нетранспортабельная она, усек? Лежит здесь сутки напролет, а как оклемается, глаза свои бесстыжие продерет — сразу посылает за бутылкой.

— Да она же больная, как ты не понимаешь? Ее лечить надо!

— Надо-то надо, но ты сам попробуй поднять ее, разбудить и заставить куда-то ехать. Давай, а я посмотрю.

— Марина, слышишь меня? Марина! Вставай, дорогая, поднимайся. Вот так. Слушай, да она совсем плохая.

— Может, в город ее отвезем? В больницу?

— Ты что, старик, ополоумел? Ты представляешь, что начнется, когда она придет в себя и заговорит? Мне-то что, я прямо сейчас закажу такси, доеду до аэропорта, и больше ты меня не увидишь. А ты? Думаешь, она станет молчать? Всем расскажет, как ты выдавал ее за принцессу, как спаивал...

— Я спаивал? Это еще надо выяснить, кто кого спаивал!

Старик негодовал, а я слушала, и волосы у меня на голове шевелились от ужаса. С глаз моих словно спала пелена. Даже стыдно стало, что нас с Олей так легко провели. Да что там провели — заколдовали! Нашли девушку, похожую на настоящую принцессу, ту, что в пещере, и выдали ее за ископаемое!

Они ругались, я слушала и вдруг поняла, что мне опасно здесь находиться. В любой момент меня могут увидеть, все поймут, и что тогда? Я свидетель, от меня можно ожидать чего угодно. Что, если я обращусь в полицию и расскажу, что в этом доме насильно удерживают и спаивают девушку? Пора было уходить, еще точнее — убегать.

Стараясь не производить лишних звуков и почти не дыша, я спустилась с крыльца и бегом побежала в гостиницу. К моему удивлению, Кира восседала на своем рабочем месте. Вид у нее был скучающий. Неужели успела переделать за утро все свои хозяйственные дела и теперь не знала, чем себя занять?

— Кира, я здесь недавно видела одного постояльца. Что-то его лицо показалось знакомым. Может, артист?

— Савва, что ли? Такой загорелый красавец, да? Угадали, он действительно артист.

— Надо же. Интересно, что он забыл у вас в деревне.

— О, в последнее время к нам приезжает множество мошенников. У нас теперь как в Клондайке. Кто-то сказал этому Савве, что здесь под землей обнаружили залежи золотоносной руды. Вот он и ходит по домам, расспрашивает жителей. Собирает якобы местные легенды, чтобы найти упоминание о золоте. Вот только золота у нас нет.

— А ваш отель? Кира, бросьте уже скрывать, честное слово! Весь мир знает, что именно здесь, в вашей деревне, обнаружены древние захоронения. Здесь в тысяча девятьсот...

— Ладно, действительно хватит играть в эту нелепую игру. Да, все обстояло именно так. Нашли не так давно одно захоронение, но всем нам здесь живущим запретили об этом говорить. Вроде этот саркофаг излучает вещество, опасное для жизни, так что будет лучше, если об этом все забудут.

— А сам саркофаг где? Все местные об этом молчат. Его тоже увезли на вертолете?

— Увезли. Все произошло в точности так же, как и в прошлый раз, в конце шестидесятых годов. Конечно, все перепугались. Вы, наверное, читали, как много тогда погибло свидетелей этой находки. Поэтому сначала, когда утечка информации все же произошла и сюда хлынул народ, все даже обрадовались. Сами понимаете, туристы — источник дохода для жителей. Вы же видите, как много у нас всего, что дарит тайга. Люди неплохо заработали в прошлом году. Кто-то подремонтировал дом, кто-то справил приданое для дочери, еще кто-то обзавелся транспортом. Деньги есть деньги.

— Нет, все равно не понимаю. Нашли захоронение, хлынули туристы... А где оно, это захоронение?

— Я же сказала: все увезли. Военные. Все как в прошлый раз.

— Кира, но в прошлый раз никаких туристов не было и все провернули очень быстро. Тогдашнюю принцессу никто не увидел, кроме нескольких человек, и те вскоре погибли. Почему же на этот раз они так опоздали? Интернет полон фотографиями этой принцессы!

— Говорят, местные чиновники позволили всем желающим ее увидеть только потому, что туроператоры обещали заплатить в областную казну серьезную сумму. Да, снова все крутится вокруг денег.

— Но вы с мужем успели построить гостиницу! Значит, вы были в курсе, что ожидается наплыв туристов.

— Мой муж выбил деньги на развитие так называемого сельского туризма. Предполагалось встречать здесь желающих пожить на лоне природы, питаться домашней кухней, участвовать в старинных обрядах. Да что я вам объясняю, вы и без меня наверняка знаете, что такое агротуризм. Понятное дело, легенда о Тисульской принцессе сыграла бы здесь не последнюю роль. Вот только не было ее, этой принцессы, понимаете? Не было! Ее увезли без малого пятьдесят лет назад.

— И вдруг, когда вы построили гостиницу, появилась?

— Удача! Никто этого не ожидал. Искали серебро, подняли глубокий пласт неподалеку от места, где прежде нашли саркофаг, а там еще одно захоронение, потом еще. Понаехали иностранцы, журналисты, ученые со всего мира!

— И?

Ни единому ее слову я уже не верила. Хотя искатель Иван ведь рассказывал, что Кира и ее муж озолотились на этой легенде, он сам это видел. Значит, она не лжет? Я окончательно запуталась. Но как можно было поверить, что это захоронение нашли так вовремя? Я чувствовала во всем этом почерк хорошо известного мне человека...

— Не очень приятно об этом говорить, но муж сбежал от меня с одной французской журналисткой. Так что все, что я рассказала, — чистая правда.

— А что случилось потом? Куда она подевалась, эта мертвая? И, кажется, вы сказали, что она была не одна?

— Думаю, в Москве узнали обо всем с опозданием. Понимаю, звучит неправдоподобно, но мы и сами не поняли, почему ее увезли не сразу.

— А точно ли увезли? Вы сами видели?

— Никто ничего не видел. Рассказывают, что на месте той пещеры однажды ночью было настоящее светопреставление. Какие-то мощные прожекторы освещали площадку, доносился рев моторов. Может, это были вертолеты. Может, пещеру зарыли, и это были звуки экскаваторов.

Еще одна ложь. Пещера была просто завалена камнями, это можно было сделать вручную.

— Так сколько их было, этих мертвых женщин?

— Одна. Хотя поговаривают, что один здешний старик скрывает у себя еще одну покойницу и что она вроде даже не покойница, время от времени дышит...

— Глупости! — вырвалось у меня. — А что, если этот Савва как-то связан с этим стариком и его находкой?

— Не знаю и стараюсь не вмешиваться в чужие дела.

— Кира, что-то мне не по себе, уж больно странное место. Да, еще вопрос. Это насчет Ивана. Думаю, вы знаете, кого я имею в виду. Дело в том, что он пригласил на прогулку мою подругу. Как думаете, ему можно доверять? Кто он вообще такой?

— Мутный человек.

— Бабник?

— Он здесь давно. Они занимаются какими-то исследованиями — разбили палатки, завезли аппаратуру. Никто толком не знает, в чем там дело, но они работают от какой-то серьезной государственной организации. Я только знаю, что его зовут не Иваном.

— А как?

— Его однажды окликнули, не помню как, и он отозвался. Нет, он не бабник. Здесь бывало много женщин, туристки вроде вас, они приезжали уже после того, как нашу принцессу увезли или закопали. Так вот, это они клеились к нему, а он всегда ночевал один. Это я точно знаю.

— Я волнуюсь за Олю.

— Не волнуйтесь, ничего страшного с ней не случится. Пусть немного развеется.

В который раз я спрашивала себя, зачем мы приехали в это странное место, где все лгут. Здесь слова расходятся с очевидным, здесь самый воздух пропитан духом опасности. Может, от этих извлеченных из каменных глубин тисульских покойниц исходила неизученная энергия, и именно ею занимались люди из экспедиции Ивана?

Я вернулась в номер, стараясь оставаться спокойной, набрала Олю. Она ответила сразу. Голос ее был безмятежным.

— У тебя все в порядке?

— Да, Валечка, не беспокойся. Мы в городе, как раз подъехали к церкви Святой Троицы, а потом поедем на озеро... — Она перешла на шепот, обращаясь к своему спутнику: — Миша, как оно называется? Берчикуль! Слышишь, Валя? Озеро Берчикуль!

Там, где она сейчас находилась, было ветрено, и голос ее тонул в этом естественном шуме. А еще она была счастлива, а потому отдалялась от меня, предавала меня, растворялась в новом для нее чувстве к мужчине. Все это почему-то вызвало у меня тоже счастливую улыбку.

— Ты назвала его Мишей, — тихо проговорила я, откуда-то зная, что это не ошибка, что мужчину, который сейчас, наверное, целует ее в губы, на самом деле зовут не Иваном, а Михаилом.

— Все нормально. — В голосе ее зазвучало нетерпение, я становилась ей в тягость.

— Надеюсь, завтра мы все же поедем в Москву? — на всякий случай спросила я.

— Да, конечно. Я жду звонка от мамы.

Не желая испытывать судьбу, я осталась в номере. Позвонила Кире, попросила принести мне обед. Спускаться в ресторан не хотелось. Встречу этого Савву, не сдержусь, наброшусь с вопросами, которые, вполне возможно, не имеют к нему никакого отношения... Нет уж, лучше побуду одна.

Кира принесла суп, котлеты и компот — нормальная столовская еда, как раз для моего кошелька. Я пообедала и легла спать. Досада на себя, на то, что я так опрометчиво решилась на это путешествие, потратила деньги и в итоге не нашла ничего, что связывало бы это место с моей сестрой, не давала покоя.

Несколько раз я садилась на постели с твердым намерением прямо сейчас разыскать Савву и расспросить его об Ане. Но один процент из ста, что этот красавчик имеет отношение к моей сестре. Все-таки я видела его мельком, на маленьком фото. А вдруг это вовсе не муж, а любовник или приятель?

Глупо было, конечно, с ним не поговорить, но я боялась навредить сестре.

Я набрала в тысячный, наверное, раз ее номер. Телефон был мертв. Она не хотела, чтобы я ее нашла. Почему? Решила, что мне пора отправиться в свободное плавание? Могла бы сказать об этом прямо, а не менять номер без предупреждения. Или ее уже нет в живых?

Внезапно телефон чуть не взорвался в моих руках — до того неожиданно громко прозвучал сигнал. Высветившийся номер ни о чем мне не говорил.

— Валентина? — Я услышала мужской голос и напряглась. Савва? Нет, он не может знать мой номер. Или ему сказала Кира? — Меня зовут Сергей Иванович, фамилия Караваев. Я знакомый Александры, матери вашей подруги.

— Да! С ней что-то случилось? — Сонную одурь как рукой сняло.

— Нет-нет, все в порядке. Просто я помог ей купить для вас билеты в Москву. До Ольги не смог дозвониться, поэтому звоню вам. Вижу, у вас есть вайбер. Могу отправить билеты, чтобы вы сами увидели время отправления и места.

— Конечно, присылайте. Спасибо!

Итак, это хозяин Александры — инвалид или муж жены-инвалида. Голос почему-то показался мне знакомым. С чего бы это?

Послышались звонкие телефонные капли — пришли снимки по вайберу. Вот и все. Я поблагодарила неизвестного мне господина Караваева за любезность и решила, что в тисульской истории можно ставить точку. Как же я тогда ошибалась!

Ольга

Если бы меня спросили тогда, понимаю ли я, что все, что было с М., не навсегда, что это просто курортный роман, пускай и северный, я бы сказала: «Да, да, конечно, да!» Но я ни о чем не жалела.

Этот день был полон настоящего счастья. Дело было даже не в сумасшедшей езде по округе. Не ветер свободы, подгонявший меня, кружил голову.

Нет, это было другое. Я была пьяна от одного его присутствия. Я смотрела на него, слушала, что он говорит о каких-то старинных обрядах, смотрела на церковь и озеро, которые он показывал, ловила его быстрые ласковые взгляды, и голова моя кружилась от удовольствия. В тот день мне казалось, что этот взрослый умный мужчина, который живет своей большой тайной, принадлежит мне. Что я имею право на него, как если бы он позвал меня замуж.

Почему вдруг я начала сама с собой эту игру, объяснить трудно. Может быть, потому, что он задавал слишком много вопросов, какие не обязательно задавать девушке, с которой не собираешься продолжать отношения. М. же хотел знать обо мне буквально все. Но рассказывать ему о детстве, об отце-тиране, от которого мы с мамой сбежали в Москву, о дальнейших наших мытарствах не хотелось. Да и о фабрике что говорить, там особенно хвастать нечем. Тема Валентины и ее сестры была под запретом, это я понимала, — здесь любое неосторожное слово сразу тянуло за собой Тисульскую принцессу, пещеру и старика Анисимовича. Так и получалось, что говорить о себе мне было особенно нечего, поэтому мы просто целовались в перерывах между его рассказами о чудесах Кемеровского края.

Главное о нем я знала. Разведен, ученый. Где именно живет, я так и не поняла — то он говорил о Питере, то о Москве. Чтобы не показаться особой, чрезмерно интересующейся недвижимостью любовника, я старалась не тешить себя иллюзиями. Пускай разведен, и что? Во-первых, не факт, что это правда, во-вторых, может, меня кто и считает дурочкой, но сама-то я знаю, что это не так, поэтому должна понимать, что шансов на продолжение романа слишком мало.

— Завтра мы уезжаем в Москву, — сказала я, когда мы, залитые ярким закатным светом, сидели на террасе кафе и я, уже чуть живая от усталости, ела знаменитый винервальдовский вишневый штрудель и запивала его холодным белым вином.

— Я найду тебя там.

Стоит ли добавлять, что, услышав это, я выронила десертную вилочку из рук?

Надо же, я даже нашла в себе силы улыбнуться. О, я отлично понимала, что все эти слова так и останутся словами, я никогда в жизни уже не увижу М.

— Я найду тебя, просто сейчас много работы, — повторил он.

— Ты мне так ничего о ней и не рассказал. Вы ищете золото?

— Алмазы. — Он сделал страшное лицо, как будто хотел меня напугать. — Да какая разница, чем мы занимаемся? Исследуем породу, пытаемся выяснить, что там внутри, понимаешь?

Я почти не слушала, голова была занята другим. Меня так и тянуло спросить, не проводит ли он нас завтра на поезд, но я не посмела. Понимала, что никаких проводов не будет. Что самое большее, что он может для меня успеть сделать, — это провести со мной романтическую ночь.

Вот так моя радость, мое счастье смешались с тихой печалью, и я улыбалась М. уже сквозь слезы.

Ужинали мы в деревне, в гостиничном ресторане, где нам подали немыслимой вкусноты рыбу. М. был весел, рассказывал что-то смешное, пытался как-то меня развеселить, но потом не выдержал и спросил, почему я так грустна и что меня мучает. Не могла же я вот так прямо ответить, что знаю, что мы видимся в последний раз, что он мне ужасно нравится, что я влюблена в него и что буду вспоминать его всегда с радостью и болью!

— Не волнуйся, завтра я обязательно провожу вас с подругой. И потом найду тебя, верь мне. Разве ты не чувствуешь, как я к тебе отношусь?

Что я могла на это ответить? Мужчины, если верить моей маме, всегда обещают золотые горы, клянутся в любви, а потом исчезают, раня нас в самое сердце. М. — мужчина видный, умный, опять же не мальчик, значительно старше меня. Если сейчас у него и нет жены, все равно она была в прошлом. Наверняка есть дети, может, скоро будут внуки, одним словом, семья. А кто я? Обыкновенная молчунья, готовая ради него на все, и он это прекрасно знает. У меня нет харизмы, мне сказали это еще в школе.

— Поцелуй меня, — попросила я и закрыла глаза.

Валентина

В окно я видела, как Кира удаляется по направлению к магазину. Должно быть, пошла за сигаретами. Я пару раз видела, как она курит на крыльце. Да какая разница, зачем она отправилась в магазин, главное, что за стойкой ее нет.

Я быстро спустилась, нашла журнал регистрации и открыла его на последней заполненной странице. Савелий Беркутов. В номере я открыла ноутбук и приступила к поискам. Савелий нашелся уже через пару минут, и я уже не сомневалась, что именно его видела в обществе своей сестрицы.

Ого, да здесь сотни снимков с Савелием Беркутовым — продюсером, предпринимателем, актером, моделью. Парень был просто нарасхват. Самым радостным оказался момент, когда я нашла свадебные фото, где Савва обнимал мою Аню на берегу моря или океана. Очень красивая пара, просто сногсшибательная.

Получается, Савелий действительно был моим зятем. Нигде ни слова о его разводе с Аней. Значит, они состоят в официальном браке, они вместе. Наверняка еще в прошлом году были здесь вдвоем. А что, Савва вполне мог сделать тот снимок с Тисульской принцессой в саркофаге. Рекламный трюк для привлечения туристов? Очень похоже на мою сестру.

Но что он забыл в этой деревне? Зачем отправился к Анисимовичу? Какое отношение он имеет к девице, которую старик выдает за одну из древних покойниц?

До меня вдруг дошло, как грубо работает эта парочка пьяниц — старик и девушка. Зачем они Савве? Может, она его любовница или сестра?

Я принялась вводить разные варианты запросов. «Ожившая Тисульская принцесса» — раз. «Старик держит в доме Тисульскую принцессу» — два. Еще парочка в таком роде. Наконец на форуме о паранормальных явлениях нашелся рассказ очевидца, прошлым летом побывавшего в деревне Р. Тисульского района Кемеровской области. Что бы вы думали? Оказывается, еще год назад старик Анисимович (имя его, конечно, нигде не упоминалось) показывал в окне ожившую покойницу и получал за это немалые деньги. К слову, парень, который это описывал, вовсе не сетовал, что сто евро оказались потрачены зря. Напротив, он восхищался, что на земле еще можно встретить такое чудо. Уверял, что на будущий год, если позволят обстоятельства, снова отправится туда, чтобы увидеть эту девушку. Он выражал надежду, что старик сумеет сохранить ее живой.

О том, что дураков на земле больше, чем оживших тисульских принцесс, я догадывалась, хотя такого наивного парня еще не встречала. Нет, вот как можно поверить какому-то старику, что он сумел оживить девушку, которая пролежала в саркофаге миллионы лет? О том, что и мы с Олей поверили этому старику, я постаралась забыть, чтобы не сгореть со стыда перед собой же. Наверняка старик обладает даром гипноза, иначе как объяснить весь этот бред?

Ладно, оставим старика. Савва. Что могло понадобиться этому плейбою в Р.? Зачем ему эта девушка?

Может, все-таки стоит подойти к нему и представиться? Признаться, что я сестра Ани, разыскиваю ее, приехала сюда специально, чтобы найти ее следы, после того как увидела ее фотографию в гробу...

Эх, знать бы наверняка, что он на Аниной стороне! Я очень, очень боялась ей навредить.

А что, если поговорить с Кирой? Но кто такая Кира? Тоже темная лошадка.

Подумалось, что ответить на мои вопросы может Иван, он же Миша или как там его зовут. С этим мне могла помочь только Оля.

Остаток дня я провела в номере, поджидая ее. Смотрела фильмы в интернете, читала, дремала. Вечером не выдержала, спустилась в ресторан и увидела Олю в компании Ивана.

Как себя вести, я не знала и на всякий случай села за дальний столик. Ресторан был пуст, меня трудно было не увидеть. Конечно, Оля заметила меня, просияла, помахала, приглашая за их стол.

— Не помешаю? — спросила я, обращаясь к Ивану. Он тоже, как мне показалось, обрадовался моему появлению.

— Что вы, Валентина, конечно не помешаете. Напротив, мы с Олей рады вас видеть. Могу представить, как вы здесь скучали без Оли.

— Да, здесь скучновато. Но ничего, завтра уже домой. Да, Оля? — Я спросила, а сама боялась услышать отрицательный ответ.

Иван любезно предложил поужинать с ними, заказал для меня рыбу и фрукты. Я решила, что пора действовать.

— Скажите, Иван...

— Валентина, вы уж простите, но мое настоящее имя Михаил. Вы подруга моей Олечки, я не хочу вводить вас в заблуждение. Это было бы просто неприлично.

— Хорошо, Михаил. Вы не могли бы мне помочь? У меня несколько вопросов.

— С удовольствием.

— Вы же были здесь в прошлом году?

— Можно сказать, что был.

Я открыла телефон и показала фотографии Саввы.

— Вам знаком этот человек?

— Конечно. Это Савва Беркутов.

— Он тоже был здесь в прошлом году?

— Да. Здесь была небольшая группа кинематографистов, снимали фильм о Тисульской принцессе, как несложно догадаться. Савва был продюсером этого фильма.

— Вы имеете в виду документальный фильм?

— Да, первый фильм должен был быть документальным, но потом на его основе Савва планировал снять и художественную картину.

— А с ним не было молодой женщины по имени Анна?

— Конечно, это его жена.

Итак, пазлы сошлись, картина ясна. Фотография Ани в гробу, так напугавшая меня, была, скорее всего, рабочим моментом съемок, и Аня просто сыграла роль принцессы. Такое часто встречается в документальных фильмах — когда реальные события инсценируют и исторических персонажей изображают профессиональные актеры. Понадобилась картинка, вот Аня и согласилась лечь в саркофаг.

Получается, я напрасно испугалась и приехала сюда, да еще привезла с собой Олю!

Конечно, я была рада, что с Аней ничего не случилось, она в полном порядке, жена продюсера и все такое. А с другой стороны, я очень разозлилась на нее. Надо же, так легко ушла из моей жизни, не отвечала на звонки, перестала присылать деньги. Нет, дело не в деньгах, а в заботе, которую я чувствовала долгие годы, с тех пор как мы осиротели. Ведь Аня, по существу, заменила мне мать.

Принесли вино, я выпила, и много, а потом раскисла, расплакалась. Выложила Ивану-Михаилу всю правду — зачем мы вообще сюда приехали. О том, что собираюсь писать книгу о принцессе, я не сказала ни слова. Это была как бы запасная версия, я же выдала всю правду-матку.

— Савва здесь! — мычала я, содрогаясь всем телом. — Представляете, он мой зять!

Оля смотрела на меня со слезами, сочувствовала. Думаю, она радовалась, что с моей сестрой не случилось ничего серьезного.

— Так чего же ты плачешь? — Михаил положил свою руку на мою. В эту минуту я вдруг поняла Олю, вот все-все поняла. От него исходило ощущение невероятной надежности. Именно такой мужчина мог защитить ее, маленькую девочку, взять под свое крыло. Думаю, Оля подсознательно ждала такого покровителя, защитника, отца.

Я вдруг подумала, как ей будет больно расставаться с ним, как тяжело. Да у нее сердце разорвется, когда она поймет, что все это было временно.

— Михаил, мне нужно с вами поговорить, — очнулась я. — Давайте выйдем.

Я увела его в холл и зашептала прямо в ухо. После вина я едва стояла на ногах, ему приходилось меня поддерживать.

— Миша, я не поеду в Москву. — И откуда в моем голосе столько решительности, хотела бы я знать. — Не поеду, и все. Если это возможно, перерегистрируйте билет на свое имя и хотя бы немного пробудьте с ней, пусть подольше не чувствует себя одинокой. Она очень хорошая девочка, поверьте мне.

— Валя, ты решила остаться здесь?

— Да нет, конечно. Мне нужно в Питер, к сестре. Я сейчас пьяна, это так, но хорошо соображаю. Я должна ее увидеть, понимаете? Пожалуйста, сделайте так, как я говорю. Купите мне билет в Питер, а сами поезжайте на моем месте в Москву. Хотя бы несколько станций. Если вы прямо сейчас все это не устроите, Оля поедет одна. Она будет в купе совсем одна, вы это понимаете? Будет рыдать, а потом займется стоп-краном. Возьмите мой телефон, вот, держите, там есть все данные, мои и Олины, снимок билета, который нам купили по интернету. Вы разберетесь. Сделайте, пожалуйста, как я сказала, у вас еще есть время. А сейчас проводите меня в номер.

— Ты все это серьезно?

— Серьезнее некуда, — проговорила я заплетающимся языком.

— Ты когда хочешь лететь в Питер?

— Да хоть сейчас.

— Возьму тебе билет на послезавтра, на восемь утра, с пересадкой в Москве. Завтра рано утром я отвезу вас в Кемерово и поселю тебя в гостинице. Правильно я понял, что ты не хочешь встречаться с Саввой?

— Да. Я не знаю, на чьей он стороне. Что, если не на Аниной?

— Я понял. Так вот, я отвезу вас... да прямо сейчас и отвезу, поселю в гостинице. Ты улетишь послезавтра.

— Завтра!

— Тебе надо выспаться и прийти в себя.

— Уговорил.

— Иди поспи, а потом поедем. Ты собралась?

— Конечно!

Мне до сих пор стыдно вспоминать этот вечер. Сама не знаю, как я позволила себе так опьянеть, да еще от вина. Должно быть, все от нервов. Они просто не выдержали.

После этого разговора события стали развиваться очень быстро. Михаил, как и обещал, купил мне билет на питерский рейс. Более того, еще и дал денег, чтобы я чувствовала себя уверенно. Целая тысяча евро! Я понятия не имела, как буду с ним рассчитываться. С его стороны, понятно, это был подарок за то, что я посодействовала их с Олей знакомству. Хм, мне-то не верилось, что он влюблен. Но тогда зачем ему было принимать такое активное участие в моих делах?

Теперь я точно знала, что он сел в поезд вместе с ней — Оля позвонила с дороги. До Москвы он вряд ли доедет, но несколько часов они все же проведут вместе. Кто знает, вдруг у него в отношении Оли в самом деле серьезные планы?

В Петербурге я сняла недорогой номер в отеле «Классики» на улице Чехова. Приняла душ, спустилась в ресторан, позавтракала молочной кашей и отправилась гулять на Невский. Дальше я облюбовала террасу романтического кафе «Клумба», где и расположилась с кофе.

Открывая ноутбук, я смутно представляла, что ищу, и уж точно была далека от того, чтобы наметить хоть какой-нибудь план действий. Не хотелось предстать перед сестрой неподготовленной. Еще меньше хотелось просто выплеснуть на нее всю злость. Мне казалось, что я должна найти ответ, почему она меня бросила. Даже не предупредила о смене номера, я уже молчу, что не пригласила на свадьбу. Откуда это отчуждение? Мысль о том, что она порвала со мной, пытаясь уберечь меня, не допуская в свое окружение, где попахивало криминалом, я нерешительно отгоняла. Не хотелось верить, что моя сестра в очередной раз во что-то влипла.

Я пила кофе, уткнувшись в экран, и листала виртуальные страницы питерских новостей и частные объявления, чтобы понять, чем сегодня дышит город. Меня приглашали все театры и музеи Питера, прямо глаза разбегались. «Оскар и Розовая дама», «Мастер и Маргарита», «Шедевры русского балета» в Театре Якобсона, ледовый мюзикл «Кармен»... Музеи. Как же давно я нигде не была!

Вот, кажется, интересное: «Мебель итальянки Карлы Толомео — скорее арт-объекты, чем привычные предметы интерьера. Диванные спинки она снабжает плюшевыми цветами или пальмами, а стулья украшает мягкими дельфинами и бабочками. Экстравагантные предметы напоминают о сюрреалистических работах Сальвадора Дали, например о его телефоне-омаре, и в то же время становятся современной интерпретацией барокко со всей его пышностью и чрезмерностью в деталях».

Или еще интереснее, вот бы пойти! «Под одеждой. История нижнего белья. Экспозиция рассказывает, как менялся дизайн нижнего белья на протяжении трех столетий. Самые ранние экспонаты здесь датированы XVIII веком, например английский жесткий корсет из китового уса. Самые поздние — современные шедевры Agent Provocateur, Dolce & Gabbana или Givenchy, которые больше напоминают объекты высокой моды, чем утилитарный комплект».

Названия мелькали, театрально-музейный мир манил, обещая наслаждение зрелищем. Я спрашивала себя, почему я уехала отсюда? Почему я не осталась с Аней? Ответ сложился сам собой: моя сестра сделала все, чтобы я пулей вылетела из Питера.

Все дело в ее образе жизни. Она просто не может жить спокойно — постоянно затевает какие-то аферы, проекты и очень боится вовлечь меня в них. Однако надо отдать ей должное: при всех неурядицах, которые она сама же накликала на свою буйную голову, она не продала нашу квартиру. Даже когда попала в переплет и ей грозил серьезный срок после нехорошей истории с одним чиновником. Ей понадобились деньги на адвоката, она их нашла и вышла сухой из воды. Так что же случилось сейчас?

Мой взгляд зацепился за заметку в подборке ссылок по истории костюма — она шла сразу за выставкой дизайнерского белья. «В Петербурге (Невский проспект, 37) открылся салон проката старинных нарядов. В коллекции представлены женские платья, сохранившиеся с екатерининских времен. Кринолины, платья, украшенные кружевом, бисером, драгоценные ткани и накидки, расшитые вручную крыльями «ювелирных жуков» (Jewel Beetles, именно так по-английски именуются златки). Также имеются туники из легких натуральных тканей — льна, муслина, хлопка, туники из кашемира, облитые золотой бахромой, короткие приподнятые рукава которых украшены брильянтами...»

И вот она, изюмина, черносливина всей затеи:

«Поговаривают, что один из манекенов — мастерски забальзамированный труп фрейлины Марии Лопухиной. Манекен под стеклянным колпаком стоит во внутреннем зале салона. Владельцы коллекции запрещают детям приближаться к нему».

Вот это идея в духе моей сестрицы. Мало того что посетители видят эту музейную роскошь, все вдобавок можно потрогать, примерить, взять напрокат! Причаститься, так сказать, эпохе, которой этот костюм соответствует. Но и этого показалось мало, и для привлечения внимания в салон поместили забальзамированный труп. Интересно, где они его нашли.

«Легенда гласит, что юная дама была забальзамирована после смерти, произошедшей в результате несчастного случая. Возлюбленному графини уход за телом стоил целого состояния. Тело фрейлины долгое время находилось в подвале одного из бывших особняков князя, имя которого владельцы коллекции предпочитают не называть. Хозяева салона выкупили этот оригинальный манекен и наняли специалистов, чтобы привести тело в надлежащий вид. Сейчас графиня Лопухина демонстрирует платье из золотой парчи, расшитое натуральным жемчугом и украшенное прозрачной накидкой из золотой нити с рубинами. Единственное, что не удалось сохранить в первозданном виде, — волосы фрейлины. На ней парик, украшенный живыми цветами».

С ума сойти. Нет, это же надо до такого додуматься!

Я вот чувствовала, что без Ани здесь не обошлось. Злость улетучилась, я вдруг поняла, что больше всего на свете хочу сейчас увидеть ее, обнять, сказать, что страшно по ней соскучилась, что восхищаюсь и всегда восхищалась ею и что готова простить ей даже исчезновение.

Я поехала к ней, на нашу старую квартиру, в надежде увидеть ее. Можно было отправиться сразу в салон, но что-то останавливало меня. Не хотелось явиться вот так сразу, неожиданно. Сейчас утро, половина десятого. Если салон открыт, Аня наверняка там. Хотя могло быть и так, что там работают люди, нанятые моей сестрой, и тогда был шанс застать ее дома.

Но, если честно, я боялась, что мои предположения ничего не стоят и сестра не имеет к салону ни малейшего отношения. Вот почему я решила для начала отправиться домой, в Фонарный переулок.

Подходя к парадной, я так волновалась, что уже у арки нашего большого, выкрашенного в персиковые тона дома остановилась, чтобы перевести дух. Сразу вспомнилась мама, запах алкоголя и дешевых духов, исходивший от нее, ее затуманенный взгляд, стоптанные тапки у продавленного дивана, пустые бутылки, выстроившиеся, как солдаты, на полу. А еще закопченные сводчатые потолки с голыми лампочками на шнурах, старый буфет с рюмками, холодные котлеты в кружеве топленого сала на грязной сковороде, засохший хлеб. Аня за столом шьет бальное платье для старой, подобранной на улице куклы. Это был ее первый бизнес: она выкупала за копейки старых кукол и одевала их, чтобы потом продать в несколько раз дороже.

После смерти мамы квартира стараниями Ани преобразилась. Потолки выбелены, на стенах свежие обои, старые венские стулья перекрашены в нежно-голубой цвет, старые кастрюли и сковородки отправлены на свалку.

Вдруг стало очевидно, что я не могу войти в дом — код не знаю, ключа нет. Я набрала номер нашей квартиры, 24, и замерла, просто перестала дышать. Ждала, когда раздастся характерный треск и женский голос, очень похожий на мамин, спросит: «Кто там?» Но ничего такого не произошло. Тогда я набрала 25, но и здесь не повезло, никто не ответил. К счастью, у меня был номер телефона тети Сони Трапезниковой. Если телефон прежний, она откроет мне и все-все расскажет. Я позвонила.

— Валечка, ты?

— Тетя Соня, я в Питере. Стою на крыльце и не могу войти. Звоню вам по домофону — никто не отвечает.

— Валя, да вот же я, оглянись!

Я оглянулась и увидела спешащую ко мне соседку — высокую, суховатую, широкую в кости даму в цветастом платье с двумя пластиковыми пакетами. Она улыбалась, а мне почему-то захотелось плакать. Это же именно она иногда приглашала меня к себе и кормила супом с мясом и пирожками. Понимала, конечно, как нам с Аней несладко, помогала чем могла, но и маму жалела, говорила, что ее надо лечить. Господи, как же давно это все было!

— Аня здесь, в городе? — Я сразу спросила о том, что беспокоило меня больше всего.

— Сейчас поднимемся ко мне, и я все тебе расскажу.

— Она хоть жива? — не выдержала я. — Я уже с ума схожу: никак не могу с ней связаться!

— Тебе не о чем беспокоиться, детка. — Тетя Соня загадочно улыбнулась. — У нас здесь поблизости пекарня открылась, я всегда там беру свежую выпечку. Сейчас будем пить чай!

Тетя Соня — большая рукодельница. Вся ее квартира украшена салфетками, самодельными вазами с сухими цветами, сплетенными из толстых шерстяных ниток пледами. Теперь она, судя по всему, увлеклась декупажем, и все пространство ее гостиной занято предметами, одетыми в миленькие одежки — все в розочках, голубях, маках.

Тети-сониного мужа дома не было. Я знала, что у него своя маленькая фирма, печатающая открытки, визитки, блокноты. Это был очень приятный человек, невысокого роста, лысоватый, с животиком, но такой обаятельный и с такими добрыми глазами, что ему, как мне всегда казалось, можно доверить самые сокровенные тайны.

— Виктор на работе. Проходи, садись. Думаю, на кухне нам будет удобно.

Я уже чувствовала себя здесь как дома. Все было знакомым. Хотя нет, у тети Сони появилась какая-то новая мебель, и занавесок этих я не помню.

Тетя Соня включила электрочайник и вышла. Вернулась она с папкой, которую торжественно положила на стол.

— Вот, тебя дожидалась. — Она села напротив меня, подперла лицо ладонями и с умилением уставилась на меня.

— Что это? Где Аня?

Сердце тревожно заухало. Завещание? Это было первое, что пришло в голову.

— Аня здесь больше не живет. Ты открой, почитай.

В папке лежали документы. Руки мои дрожали, когда я дотронулась до гербовой бумаги с печатью, но это было, к счастью, не завещание. В папке лежали документы на квартиру, на нашу с Аней квартиру. Аня отказалась от своей доли, и теперь эта квартира принадлежала только мне. Невероятно.

— Но почему? Что с ней?

— Да ты успокойся, вон побледнела вся! Аня купила себе квартиру на Васильевском острове, живет там с Савелием.

— С Саввой Беркутовым?

— Да.

— Вы не знаете, почему Аня перестала мне звонить, не сообщила свой новый номер? Куда она исчезла? Она ничего вам не говорила?

— А я ничего и не знала. Ты же знаешь Анечку, у нее полно разных дел. Они с Савелием открыли магазин с какой-то экзотической мебелью, ее привозят из Индонезии и Малайзии. Ротанговая мебель, вот! Еще у них какая-то кофейня. Сейчас, насколько мне известно, они скупают картины молодых питерских художников — собираются открыть галерею.

— А в Сибирь они не ездили в прошлом году, не знаете?

— Нет. Из того, что я знаю, они были в Индонезии на каких-то островах, искали там маски, сувениры — то, что может стать дополнением к мебели. Насчет Сибири мне ничего не известно. Ты-то как, Валечка? Чем занимаешься?

— Работаю официанткой в кондитерской, — сказала я и покраснела.

Стало стыдно, что я так сильно отстаю от своей сестры. Да что там, ничего существенного в жизни я пока не совершила. Покамест я только потратила уйму денег, чтобы разыскать сестру в надежде, что она и дальше будет меня поддерживать. Это стыдно, очень стыдно. Во всяком случае, тогда, в кухне у тети Сони, путешествие в Кемерово представилось мне именно в таком свете. Кто теперь поверит, что я искренне переживала за сестру и отправилась в Сибирь, потому что правда испугалась, что ее, может быть, уже нет в живых?

Осознать, что я стала единственной обладательницей квартиры в Фонарном переулке, я попрежнему никак не могла. Я держала в руках свидетельство о праве собственности и не знала, что делать дальше.

— У вас есть Анин телефон и новый адрес? — наконец догадалась я спросить.

— Конечно. А ключи от твоей квартиры тебе не нужны? Ты, голубушка, смотрю, совсем растерялась.

Она вложила мне в руку ключи, я поблагодарила и, все еще не веря, пошла к себе.

Дверь нашей квартиры оказалась новой. Красивая, под красное дерево. Я постучала и поняла, что она металлическая, мощная.

Квартиру было не узнать. Я ожидала увидеть шкафы и стулья, среди которых прошло мое детство, место, где все хранит следы прошлого, и была поражена, когда, войдя, не почувствовала ничего. После ремонта здесь стало просторнее, светлее. Было очень много белого, даже мебель оказалась белой. Я улыбнулась, потому что узнала этот стиль — IKEA. Мягкие диваны, много цветного текстиля, все светлое, новое и пахнет краской.

В кухне на столе я нашла записку, написанную торопливой Аниной рукой:

«Привет, Валюша! Если ты здесь, значит, в Питере. Увидимся». И номер телефона.

Вот так просто она поздоровалась со мной. Так просто отдала родительскую квартиру. Неужели она действительно думает, что мне нужны от нее только деньги или квартира? Она нужна мне сама! Она моя сестра!

Звонить я не стала. Вместо этого я снова поехала на Невский — искать салон проката старинных платьев.

Караваев

Она не приехала! Мы встречали их на вокзале вместе с Александрой. Я знал, что она собирается на вокзал на такси, и решил оказать любезность и сам вызвался ее подвезти.

— Заодно посмотрю на вашу дочку, Александра, — попытался я пошутить, чтобы никоим образом не выказать интерес к ее подруге. — Вдруг она мне понравится и мы с вами породнимся?

— Скажете тоже, — смутилась Александра. — Моя Оля не такая.

— Какая — не такая?

— Она с мужчинами вообще не очень-то. Скромная она, понимаете?

Скромная Оля вышла из вагона с мужчиной, который держал ее за талию и не сводил с нее глаз. Да, девушка неброской красоты, но за этой мягкой женственностью может скрываться подлинная страсть, не говорю уже о способности любить и быть преданной и верной.

— С кем же она?

Щеки и даже шея Александры побагровели. Вместо того чтобы рвануть к дочери, она какое-то время стояла, вцепившись в мой локоть, и не могла сдвинуться с места. Мимо нас плотным потоком шли люди, и Оля не могла видеть мать. Их обоих тоже обтекала толпа, но было видно, что ей не очень-то хочется с ним расставаться.

На вид ему можно было дать лет сорок или чуть больше. Он был явно старше Оли и производил впечатление вполне серьезного, взрослого человека. Хотя я мог и ошибаться и это был обыкновенный командированный, опытный обольститель, с которым Оля провела долгие часы в купе и в которого успела влюбиться. Теперь ему предстояло отправиться домой, к жене и детям, и он разыгрывал напоследок страстно влюбленного, у которого нет сил расстаться с предметом страсти.

— Александра, вы только сразу не набрасывайтесь на нее, — прошептал я ей на ухо. — А вдруг это ее жених? Постарайтесь держать себя в руках.

Пара распалась прямо на наших глазах. Они отпрянули друг от друга, он напоследок поцеловал Олю, сказал ей что-то на ухо и быстрым шагом направился в нашу сторону. Пробежал мимо нас и скрылся в толпе. Оля привела в порядок волосы, подкрасила губы, тряхнула головой, подняла чемоданчик и зашагала в нашу сторону, всматриваясь в лица прохожих.

— Мама! — Она кинулась к матери, обняла ее. Меня, стоящего совсем рядом, она даже не заметила. — Господи, как же я соскучилась! Побывала в другом мире! Потом все расскажу! Москва, как же я соскучилась и по Москве!

— Оля, — Александра нервно промокнула пот на лице, — познакомься, это Сергей Иванович Караваев, мой хозяин, у которого я работаю. Он любезно согласился меня подвезти.

— Здрасьте. — Она криво улыбнулась, и я понял, что мыслями она сейчас далеко.

— А где же ваша подруга? — Я старался изо всех сил не выдать себя, но смолчать не смог. — Кажется, я покупал два билета.

Действительно, не мог же я не знать, что их двое, я ведь сам заполнял форму, когда покупал билет.

Александра посмотрела на меня долгим взглядом — как иглой пронзила. Что она знает обо мне и Валентине? Знает все-таки? Знает, что Валентина — моя единственная наследница, поэтому разыскала ее и сделала так, чтобы ее дочка и Валя стали подругами? Это вышло случайно или нет?

Увы, я не верю в подобные совпадения. Но зачем им Валентина и в чем эта дружба? Ладно, я бы понял, попытайся она познакомить меня со своей дочерью. Но почему, почему она до сих пор этого не сделала? А сейчас вот ее дочь обнимается с мужчиной. Картинка явно не для будущего зятя. Или это часть ее сложнейшего плана, который подразумевает, что наше с Олей знакомство было отложено специально и теперь все-таки состоялось? Что задумала эта особа?

А что, если Валентина тоже ее дочь? Допустим, внебрачная. До приезда матери в Москву жила в приемной семье — может такое быть? Или просто родственница? Как сложился этот треугольник: я, Валентина, Оля? Ясно, он мог сложиться только стараниями Александры.

А этот мужчина, любовник Оли, он кто? Может, и он имеет какое-то отношение к этой семье, а сейчас Александра только притворилась, что видит его впервые?

— Оля, так где Валя? Где она застряла? — нетерпеливо повторила мать.

— Она не приехала. — Оля покраснела. — Ма, пойдем уже.

Мы двинулись к выходу. Меня распирало от любопытства. Нет, я просто обязан все выяснить.

— Она заболела? — спросил я и снова почувствовал быстрый, острый, как удар ножом, взгляд Александры.

— Да все с ней в порядке. Просто в последний момент решила отправиться к сестре в Питер. — Оля улыбнулась, пожала плечами.

Адрес Анны Юдиной у меня имелся. Я отвез Александру с дочерью на Цветной бульвар, как они просили, и, сославшись на дела, отправился в Питер.

Десять часов за рулем, и вот я, полуживой, все-таки для меня пока нагрузка чрезмерная, наконец в Петербурге.

Показаться в таком виде девушке, в которую ты влюблен, невозможно. Я остановился в гостинице «Невский двор». Сил не было, голова кружилась, меня клонило в сон, я чувствовал себя разбитым. Как всегда, когда подводило физическое здоровье, душевный недуг тоже давал себя знать. Сомнения, которых не было на вокзале, пока я с трепетом ждал ее, вернулись, чтобы снова сделать меня слабым и неуверенным. Зачем я нужен ей, старая развалина?

Я много раз представлял себе нашу встречу. Пытался вообразить ее лицо в ту минуту, когда она услышит, что я и есть тот самый Вадим, бомж, которого она подобрала на улице и спасла. В такие мгновения я испытывал самый настоящий ужас. Я же украл у нее последние деньги, повел себя как самый настоящий подлец, негодяй. Да она просто не захочет со мной говорить!

Я нашел в себе силы принять душ и спуститься в кафе. Съел мясо по-строгановски, фаршированные яйца, выпил горячий чай. Потом вернулся в номер и немного поспал. Когда совсем стемнело и Петербург утонул в голубом бархате, подсвеченном золотом огней, я вышел на Невский. Красивейший город мира манил, зазывал, соблазнял роскошью. Надо ли говорить, что в каждой девушке, встреченной на пути, я видел Валентину, слышал ее задорный смех. Я мог бы сесть в машину и отправиться в Фонарный переулок, но не сделал этого. Да, я боялся этой встречи и еще больше презирал себя за этот страх.

Я не знал, чем занять время, а потому просто прогуливался. Надо же, я и забыл, когда в последний раз мог вот так беззаботно бродить по улице. Все-таки даже в болезни можно отыскать свои плюсы.

В каждом щуплом парне, шедшем навстречу, я видел своего Темку — того прежнего, каким я его любил и какого потерял навсегда. Надо же, как быстро стерся в сознании его образ, как будто память сама старалась уберечь меня от душной черноты, куда я едва не провалился окончательно после его смерти. Витрины магазинов заинтересовали новыми, неожиданно открывшимися возможностями — я мысленно возил по этим бутикам Валентину, одаривал ее и радовался ее улыбке...

Так я шел по Невскому, совершенно один, мечтая о встрече с девушкой, и в какой-то момент понял, что схожу с ума. Прямо передо мной несколько человек глазело на ярко освещенную витрину.

Среди них была и моя Валя. Или это ее двойник? Джинсы, тонкий свитер, кроссовки. Светлые волосы волнами спадают на плечи. Вид мечтательный и растерянный одновременно.

Как и остальные любопытные, она разглядывала большой, богато убранный цветами манекен в старинном кружевном наряде с драгоценностями. Удивительно, что манекен выглядел как живой. Девушка необыкновенной красоты стояла вполоборота к толпе за стеклом. Из-под белоснежного кружевного манжета выглядывала часть ее руки. Если не знать, что это кукла, ей-богу, ее можно было принять за человека, до того натурально все выглядело.

— Что же здесь интересного? — спросил я, став вплотную за Валентиной. Она вздрогнула и отшатнулась.

— Вы меня напугали.

— Извините, не хотел. Так что здесь особенного, почему все смотрят на этот манекен?

— Вы все равно не поверите, — отмахнулась она. Она явно меня не узнавала. Ничего удивительного: Валентина была увлечена зрелищем, и все ее мысли сейчас занимало только одно.

— Почему же? Я заметил, — я перешел на шепот, чтобы не привлекать внимания других, — что фигура в витрине как живая.

— В том-то и дело! — так же шепотом воскликнула она. — Это забальзамированный труп фрейлины Лопухиной, представляете?

— Да ладно! — теперь уже я отмахнулся.

Честно говоря, ожившие или не вполне ожившие покойницы меня совершенно не интересовали.

Ясно, что это обман: никто и никогда не поставит в витрину настоящий труп. Уже не говорю о том, как подозрительно хорошо выглядела эта фрейлина.

— Говорю вам, это чистая правда. Жаль, мне сегодня не удалось туда попасть. Видите табличку «Закрыто»? Все эти люди уже были там и видели ее вживую. Нет, что я говорю, — видели ее труп, но совсем близко. Она не дышит, это на самом деле труп. Загримированный, конечно. Я так поняла, что сегодня ее переодевали. Хотя не понимаю, кто захочет взять напрокат платье после того, как оно побывало на трупе. Но история интригует, согласитесь.

— Да, интригует, — кивнул я, думая о своем. Моя девушка, совершенно живая, стояла рядом, а я не знал, как себя вести, чтобы не напугать ее, чтобы расположить к себе, чтобы познакомиться, наконец.

— Завтра салон откроют?

— Говорят, что да. Обязательно приду.

Я прокручивал в уме разные сценарии этого вечера. Да, я знал Валентину уже достаточно, чтобы понять, что идти со мной в ресторан и тем более в гостиницу она не согласится. Я оставался для нее совсем чужим человеком. Что ж, придется действовать в открытую.

Ничего не оставалось, как представиться ей тем самым человеком, кто покупал билеты из Кемерова в Москву, с кем она только позавчера говорила по телефону, — Караваевым Сергеем Ивановичем. В ее телефоне должен был сохраниться номер, с которого я отправлял снимки билета. Стоило быть честным — я так боялся упустить ее, потерять.

— Постойте, что-то я не поняла. Вы говорите об Александре, об Оле. При чем здесь Александра и Оля?

Ей понадобилось время, чтобы отвлечься от наряженного трупа и сообразить, кто перед ней.

Пришлось солгать, сказать, что приехал в Питер по делам, завтра у меня важная встреча, а сейчас я просто гуляю по Невскому и совершенно случайно встретил ее. Все это я уже выложил, когда понял, что вот сейчас мой обман раскроется. Спрашивается, откуда я знаю, как она выглядит?

— Послушайте, как-то все это странно. Минутку.

Она отошла в сторону и принялась кому-то звонить. Кому она сейчас может звонить? Да Оле, конечно. Они говорили минут десять. Сначала на ее лице были тревога и недоумение, потом она просияла и дальше уже слушала улыбаясь. Не нужно быть знатоком женской психологии, чтобы догадаться: Оля делилась новостями о своем попутчике.

Вернувшись, она протянула мне руку:

— Все правильно, вы Сергей Караваев. Будем знакомы. Оля сказала, что вы и ее мама встречали их на вокзале. Но какое совпадение! И как вы меня узнали?

Я безмятежно пожал плечами.

— Мы как раз собирались на вокзал, когда Александра показала фотографию, где вы и Оля вместе. У вас очень запоминающаяся внешность, но, конечно, я первым делом обратил внимание на ваши волосы.

Никогда в жизни я так не лгал. От темы Александры и Оли нужно было уходить как можно скорее.

— Скажите, вы всерьез полагаете, что этот манекен в витрине и есть труп Лопухиной?

— Конечно! Я приходила сюда сегодня днем, и тогда толпа была еще больше. Само собой, я расспросила тех, кто там уже побывал, что и как. Ужасно интересно! Наверняка вы знаете, что в Питере время от времени проходят костюмированные балы. Еще бы — среди этих дворцов и особняков каждому хочется нарядиться в бальное платье или камзол, почувствовать себя вельможей, княгиней, графиней. И вот пожалуйста — кто-то весьма предприимчивый решил угодить всем и открыл этот салон. Вы только посмотрите на эти платья, вот на это желтое или на то голубое! Это же настоящие произведения искусства! Ручная работа. Прокат, конечно, стоит сумасшедших денег, но те, кто берет эти платья, помимо балов и вечеринок, наверняка заказывают еще фотосессии. Такие фотографии — это память на всю жизнь.

— Вы, конечно, тоже хотели бы взять какое-нибудь платье?

— Конечно! Думаю, у меня получится. Завтра, к примеру. Хоть бы они открыли салон.

— Послушайте, вы вернетесь сюда завтра, но на сегодня, думаю, впечатлений хватило. Приглашаю вас в ресторан. Посидим, поговорим. Расскажете о поездке в Кемерово. Ума не приложу, что там может быть интересного.

Она улыбнулась, глаза ее потемнели и задержались на моем лице.

— Кого-то вы мне напоминаете, но вот кого, никак не могу вспомнить. Наверное, какого-нибудь артиста. Что-то мне в последнее время всех хочется сравнить с артистами. Ладно, пойдемте в ресторан. Оля сказала, что вы порядочный человек и ее мама вас просто боготворит. Почему-то мы все считали вас инвалидом, уж простите. Оля, кажется, и вовсе думала, что мама ухаживает за больной женщиной. А это, выходит, были вы.

Я предложил ей взять меня под руку, и мы зашагали навстречу полной неизвестности.

Валентина

Он как с неба свалился, этот Караваев. Я смотрела на него и не могла понять, откуда я его знаю. Где, в самом деле, я могла его видеть? Почему-то он вызывал ассоциации с больницей и еще с чем-то нехорошим, опасным.

Думаю, скорее всего, он был просто похож на какого-нибудь актера. У меня-то самой никогда не было таких знакомых. Караваев был из другого мира — спокойный, вежливый, богатый, умный, красивый. Такие не заглядывают в нашу кондитерскую. Они могут себе позволить есть пиццу в Риме и лакомиться сыром в Цюрихе. На завтрак у таких бриошь в Париже, на ужин — селедка под смородиновым джемом в Амстердаме. Но раз уж он сам подошел ко мне и детей нам, как говорится, не крестить, я решила держаться с ним запросто, как если бы мы были на равных.

Почему бы не принять приглашение и не сходить с ним в ресторан? Послушаю, о чем он станет говорить, что его самого интересует. Наверняка заведет речь о делах. Они же все только об этом и думают — дела, бизнес, деньги, деньги, деньги.

Но для меня эта встреча оказалась настоящим спасением. Какое счастье отвлечься, пусть всего на вечер, от невеселых мыслей! Салон, где я надеялась встретить сестру, закрыт. Но он и закрытый притягивал к себе народ. Кстати, днем никакой фрейлины в витрине не было, а был обыкновенный манекен в бальном платье. Но все, кто пришел поглазеть на эти диковины, знали о существовании трупа и, как поклонники известных артистов, дожидались кумира у двери в этот новый театр.

Как я поняла, что салон принадлежит моей сестре? Да очень просто, по одной детали на витрине. На мраморной колонне возвышалась фарфоровая статуэтка — ангел между яичными скорлупками, увитыми розовыми ветвями, держит на спине еще одно яйцо. Точнее, не ангел, а кудрявый симпатяга амурчик в бледно-желтой набедренной повязке с малинового цвета тесьмой. Если бы яйцо на спине у него в самом деле имелось, я еще могла бы сомневаться, что это та самая наша фамильная драгоценность, доставшаяся нам от прабабушки. Но у нашего ангела, как и у того, что стоял в витрине, яйца не было. Никто не знает, кто разбил эту дорогую вещь. Кстати, когда смотришь на ангела спереди, этого изъяна не видно.

Перед запертой дверью в салон я проторчала не меньше часа. Так и не решилась ни постучать, ни зайти со служебного входа. Даже позвонить сестре не нашлось смелости.

Да, я не знала, как себя вести и что говорить. Боялась, что наброшусь на Аню с упреками и выставлю себя полной дурой. Боялась ее отчужденности, ее холодности. Этого между нами никогда не было, нас всегда связывали самые близкие отношения. Не исчезни она из поля моего зрения, мне бы и в голову не пришло выстаивать здесь перед дверью и чего-то ждать. Но что-то ведь произошло, раз она держит меня на расстоянии. Она подарила мне свою часть квартиры в центре Санкт-Петербурга! Может, захотела так откупиться — вот, мол, тебе квартира и дуй куда хочешь. Не хотелось верить, что я теряю сестру. Или уже потеряла?

Как бы то ни было, я вернулась домой, теперь уже в собственную квартиру. Вскипятила чай, поужинала колбасой и пышками и легла спать. А ночью не нашла ничего лучше, чем снова отправиться на Невский, в салон. Да, он заперт, но любопытно же было знать, что там сейчас.

Скажу честно: я была потрясена, когда увидела толпу перед витриной. Надо же, людям даже ночью требуются хлеб и зрелища. И непременно подавай им что-нибудь необычное, колдовское, жуткое, на грани жизни и смерти. Никто не хочет умирать, но смерть волнует всех без исключения. Адреналин — вот чем торговала моя сестра. И продавала она этот будоражащий гормон, разумеется, очень дорого, иначе не была бы собой.

Караваев пригласил меня в ресторан «Палкинъ». Мы сидели у камина на мягких, в кофейную полоску, креслицах за круглым столом с белой скатеркой — свечи и вазочка с розочкой, как же иначе — и мило беседовали о том о сем. Он заказал для обоих цесарку с грушами. В выборе я, не искушенная в такого рода блюдах, положилась на него и, честно сказать, была ему благодарна за эту цесарку. Не знаю, справилась бы я, скажем, с «гусем в башмаке». Еще были вино и свежая малина на десерт.

— И все-таки мы с вами где-то встречались, — повторяла я время от времени. Меня клонило в сон, кажется, я пьянела.

— Возможно. — Он улыбался. — В прошлой жизни.

— Чем вы занимаетесь?

— Так, ничего особенного. Бизнес.

К счастью, он не был болезненно увлечен своим бизнесом, комплименты в мой адрес занимали его больше. Я снова вспомнила Олю — как захватил ее любовный вихрь нашего тисульского приятеля Ивана. Только теперь, купаясь в волнах мужского восхищения, я окончательно поняла ее.

Все это время, даже занятая мыслями о сестре, я не переставала тревожиться о ней. Да ведь со мной сейчас человек, который встречал мою Олю на вокзале! Об этом она успела сказать по телефону, когда я прямо на улице решила выяснить, кто такой этот Караваев и откуда меня знает.

— Послушайте, Сергей Иванович...

— Можно просто Сергей. И еще хотелось бы перейти на «ты». — Он по-птичьи склонил голову набок.

— Послушайте, Караваев, вы встречали Олю в Москве на вокзале, так?

— Сдаюсь, здесь вы в точку. Я не просто подвез Александру к вокзалу. Мы с ней действительно поехали встречать вас обеих. А что вас насторожило?

— Так, ничего. Хотела спросить: Оля вышла из вагона одна?

Он делал вид, что не понимает, и я начала злиться. Кажется, он уловил эту перемену в моем настроении, надо же, какой чуткий. Он тоже посерьезнел.

— Мне показалось, она вышла с мужчиной. Полагаю, что они вместе.

— Средних лет, намного ее старше — до такой степени, что это даже бросается в глаза?

— Вот здесь вы не правы. Старше, но это ничуть не бросается в глаза, разве что слегка.

— Она познакомила его с мамой?

— Нет. Они тепло расстались, и он ушел, весьма стремительно, надо сказать, а она подошла к матери как ни в чем не бывало.

Мне почему-то стало спокойнее. Получается, Михаил (мне по-прежнему хотелось назвать его Иваном) проводил ее до самой Москвы. Оля не представила его маме — может, он сам не хотел, а может, она еще не созрела для этого. Но в том, что это был все-таки он, а не случайный попутчик, я теперь уверена. Хотя я так мало знаю Олю...

После ресторана Караваев отвез меня домой. Мы, конечно, договорились встретиться на следующий день. Он тщательно записал мои координаты на случай, если придется спешно уехать из Питера, и я вернулась к себе.

Так хотелось позвонить Ане, увидеть ее, поговорить, но что-то мешало это сделать. Наша квартира стала вдруг чужой, и такой же чужой оказалась моя сестра. Не могу, не могу понять и простить, что она настолько отдалилась от меня. Бросила! Но вот ведь оставила в записке номер телефона, значит, все-таки допускает, что мы можем встретиться.

Конечно, в тот вечер я так и не позвонила. Слишком устала от всех этих впечатлений — и от мертвой фрейлины, и от ужина с Караваевым.

Я приняла душ, заварила чай, устроилась с ногами на кухонном диване и позвонила Оле. Кажется, она обрадовалась, услышав меня. Я рассказала о встрече с Караваевым. Странно, но она удивилась и, как мне показалось, расстроилась.

— Он женат? — спросила я.

— Кажется, нет. Но все равно будь осторожна. Знаешь, не советую тебе заводить с ним отношения.

— Но почему? По-моему, он очень мил.

— Он болен, и серьезно. Мама каждый день делает ему массаж ног. Она мало что рассказывает, но, кажется, он был парализован или что-то в таком роде. Сама подумай, тебе это нужно?

— Оля, а если твой Миша заболеет, ты тоже его бросишь?

Сама не знаю, как у меня вырвалось такое. Да, после нескольких бокалов вина не стоит ждать от себя, что станешь мыслить логично.

Она замолчала, наверное, рисовала в воображении то, о чем я сказала, и наконец ответила весьма решительно:

— Ни за что. Я люблю его.

— Караваев видел, что вы с ним вышли из вагона.

— Да, он проводил меня до Москвы и сразу поехал в аэропорт. Ему нужно было срочно возвращаться в Кемерово.

— Как у вас с ним, серьезно?

— Очень даже. Он сделал мне предложение.

— Ого! Я рада!

Как же хотелось верить, что все так и будет, что Михаил еще объявится и женится на Оле. Но если так, почему он не пожелал познакомиться с будущей тещей?

Задавать этот вопрос прямо не стоило. Нужно пощадить Олю, пусть поживет с надеждой. Но сколько таких историй на белом свете, когда мужчина, получив свое, обещает жениться, а сам исчезает?

— Что у тебя в Питере? Нашла сестру? Она жива-здорова? — Оля, кажется, и сама была рада сменить тему.

— Да, с ней все в порядке, но мы пока не виделись.

— Как так?

— Договорились встретиться завтра, — солгала я. Нечего прямо сейчас вдаваться в подробности.

Мы мягко свернули разговор, пожелали друг другу спокойной ночи и на этом простились.

Всю ночь мне снилась фрейлина Лопухина. Она металась по моей спальне голой и почему-то отвратительно гремела костями. Кажется, она пыталась найти какое-то платье.

Александра

— Не могу здесь уснуть, надо было ехать к себе.

Я ворочалась на постели Валентины. Караваев отвез нас на Цветной бульвар — так захотела Оля, и я не стала возражать. Конечно, ей нужно было принять ванну, отдохнуть. Хотя мне было бы куда удобнее, если бы она поехала ко мне, к нам с Караваевым. Тем более он сам сказал, что его не будет. Там я бы ее накормила, благо есть чем, а здесь, на Цветном, что я ей могу предложить? Пока она мылась, я сбегала в магазин, купила курицу гриль, помидоры, пирожные и приготовила ужин.

Понятное дело, в присутствии Сергея Ивановича я не могла заикнуться об этих поцелуях на перроне. Но за ужином не выдержала, спросила.

— Так. Познакомилась в поезде. — Оля покраснела. Она мне врала, и причиной этого мог быть только стыд. Ей было стыдно.

— Ладно, не хочешь рассказывать — не надо.

Пришлось сделать вид, что мне это не очень интересно. Но я же чувствовала, что между ними что-то есть! Знаю я свою дочь: она будет молчать, как партизан, если там что-то не то, если ей, вот именно, стыдно. Получается, я ее плохо воспитала, раз она могла сойтись в купе с первым встречным. А если забеременеет? Вот дурища-то.

После чая она стала рассказывать, что с ними, двумя дурочками, произошло в этой сибирской деревне. Ясное дело, поездка оказалась пустой тратой денег. Валентинину сестру они не нашли, накупили всякой ерунды — варенья, бальзамы, орехи, мед.

Да, их с Валентиной это путешествие сблизило, но что дальше?

— А как она собирается возвращать нам долг? Она же нам теперь должна!

— Мам, да откуда мне знать? Будет работать. Она там собирала материал для книги о Тисульской принцессе. И вообще, я устала и хочу спать.

— Она что, писатель? — хмыкнула я. — Так зачем вы туда ездили, можешь объяснить? Ты же говорила, что там ее сестра.

— Мам, прошу тебя, оставь меня в покое.

— Хорошо-хорошо. А что, там на самом деле нашли эту древнюю женщину? Я тоже о ней читала, мне даже жутко стало.

— Да брось ты, все это чушь! — Она бросила на меня короткий взгляд, словно боялась посмотреть в глаза. Снова врала? — Нужно же как-то заманивать туристов в эту тьмутаракань.

Что-то с ней творилось, с моей дочерью. Я же видела, что она сама не своя.

— Ты, случаем, не влюбилась?

Вместо ответа она легла, укрылась с головой и уснула.

Пока она спала, я прибрала на кухне, вышла, прошлась по улицам, вернулась и тоже легла. А когда проснулась, моя Оля уже пила чай с земляничным вареньем. Сегодня она, наконец, выглядела отдохнувшей, выспавшейся, да и настроение было явно другим.

Она стала рассказывать, как какой-то мужик в этой сибирской глуши держит у себя девицу-алкоголичку и выдает ее за мертвую.

— Там вообще все жители со странностями, и вдобавок напуганные чем-то. Может, и правда эти захоронения существуют, но на самом деле там ищут серебро. Мам, а давай сходим в кино?

Это прозвучало как приглашение в новую жизнь. Надо же, в каком аду я жила последние годы — мысль куда-то сходить развлечься просто не приходила в голову. Да и откуда бы ей взяться, если все заботы только о пропитании и о крыше над головой?

— Здесь в двух шагах идут «Пираты Карибского моря». Ну же, соглашайся!

Мы пошли в кинотеатр. Надо же, я действительно отдохнула, посмеялась, помечтала, что когда-нибудь и мы с дочкой поедем на море, а то и вообще за границу — надо только набраться терпения.

Но каждый раз, стоило мне подумать о Караваеве, а ведь это он должен был стать источником нашего благосостояния, Господи, прости меня, грешную, так вот, стоило мне подумать о нем, как становилось не по себе. Да, я сама помогала ему встать на ноги и желала ему здоровья — и в то же время не могла не думать, что он обречен и что совсем скоро Валентина может стать его единственной наследницей. А дальше не успеет она и глазом моргнуть, как сразу все потеряет. Правда, чем больше я об этом думала, тем менее достижимой казалась эта цель. Так изобретательно разработанный план на моих глазах словно заволакивало туманом.

Оля не знала, да и никто другой не знал, что в последнее время я увлеклась детективными сериалами. Меня интересовало все об убийствах, способах убийства и методах расследования. Вот как так получается, что каким бы умным и осмотрительным ни был убийца, его всегда вычисляют и наказывают? Конечно, это всего лишь фильмы. Но разве кровь не потому создана богом красной, чтобы ее было хорошо видно?

Иногда мне казалось, что я и есть убийца, и тогда, глядя фильм, я переживала все совершенно всерьез, даже давление подскакивало и сердце начинало колоть.

Конечно, трудно просчитать все детали и сделать так, чтобы не осталось никаких следов. Если с Сергеем Ивановичем что-нибудь случится, первым делом подумают на меня. Но я же не собираюсь его убивать! А если так, весь мой план, получается, рушится? Выходит, все напрасно? Хотя что напрасно? Подумаешь, устроилась к нему сиделкой, что в этом плохого? Оля познакомилась с Валей — тоже хорошо, вон стали подругами. Здесь как-то некстати я вспомнила о Кате, у которой мы давно не были, и решила, что пора ее навестить.

Мы вышли из кинотеатра, и Оля позвонила Кате. Из реабилитационного центра ее, оказывается, выписали, она дома — снимает квартиру недалеко от фабрики, куда ее снова взяли на работу. Мы накупили еды, конфет и поехали к ней.

Конечно, она уже никогда не будет выглядеть как раньше. Дело даже не в болезненной худобе, а в особом взгляде, которым она теперь смотрит на мир. Во всяком случае, на нас с Олей она смотрела именно так. И все равно чувствовалось, что ей намного лучше.

Мы обнялись, поцеловались. Катя сказала, что квартиру ей помог найти все тот же Матвей. Она не могла оставаться там, где они жили с Олей, там все напоминало о прежней жизни (признаться честно, я так и не поняла, что там могло о чем-то напоминать). Матвей — вот уж друг так друг — помог ей деньгами, поговорил с кем надо, чтобы ее снова взяли на фабрику. А самая хорошая новость — несмотря на то что с ней произошло, у нее оставался шанс родить детей.

Мы засиделись у Кати допоздна. Было уже темно, и, к удивлению обеих, я вызвала такси.

— Мама работает у крутого человека. — Оля улыбнулась — с гордостью, как мне показалось. — Так что не бедствуем.

— Да уж, вижу. — Катя кивнула на продукты, которые мы привезли. — Спасибо, что не забыли меня. И за гостинцы спасибо.

Оля сказала, что через пару дней они встретятся на фабрике, и на этом мы распрощались.

Вернулись на Цветной бульвар. Снова я долго не могла уснуть, все ворочалась. Вроде и кровать нормальная, но сна не было. Оле пару раз кто-то звонил, и она выходила на кухню с телефоном. Первый раз ее не было почти полчаса, второй раз — минут десять.

— Нет, не могу я здесь уснуть. Надо было ехать к себе.

— Мам, — она включила лампу и присела ко мне на кровать, — слушай, только что звонила

Валя, она в Питере. А ты знаешь, где сейчас твой Караваев?

— Понятия не имею. Сказал, что уедет по делам.

— Мам, они там вместе. Твой Караваев и Валя.

Я поднялась, села.

— Как это? Когда он успел?

— Ничего не знаю, но они там вместе. Вроде бы встретились случайно прямо на Невском проспекте, представляешь?

— Хочешь сказать, это судьба?

— А как иначе? Ты только представь: она летит в Питер, он чуть ли не следом за ней — и вот они встречаются.

— А может, они знакомы? — Я чуть не проговорилась.

— Да нет же. Валя сказала, что встретила на улице какого-то человека, а тот представился Караваевым, тем самым, у которого ты, мама, работаешь. Может, ты скажешь, наконец, зачем тебе Валя и почему у тебя такие испуганные глаза?

— Все, что надо было, я уже сказала, — отрезала я.

В такие вот минуты я сама уже точно не помнила, что именно ей известно. Иногда я ловила себя на том, что говорю с ней так, как будто она в курсе моего плана.

— Но ты ничего мне не сказала!

— Ладно, думаю, теперь можно, раз вы стали подругами. Надеюсь, теперь, когда ты все узнаешь, сама поймешь, как вести себя с ней.

— Все, заинтриговала.

— У Караваева был сын-наркоман, — начала я.

Оля слушала внимательно, не перебивала, спросила только, когда я дошла до конца караваевской истории:

— Хочешь сказать, что она приняла его за бомжа?

— Вот именно. Поэтому я и удивилась, что там, в Питере, как ты говоришь, она его не узнала.

— Конечно, не узнала, иначе сказала бы. Что скрывать?

— Слушай дальше. В благодарность за то, что она ему помогла, он составил на нее завещание.

— Ничего себе! Все ей одной?

— В том-то и дело!

— Подожди. А я здесь при чем?

— К сожалению, ни при чем. Поэтому я и хотела, чтобы ты была, как бы это выразиться, при чем, точнее при ком. При Валентине. Я подумала, что, если вы действительно подружитесь, она не оставит тебя, когда внезапно разбогатеет.

— Мам, но с какой стати она станет мне помогать? Я же ей никто!

— Но ты же ей помогла с деньгами на поездку? Так почему бы и ей не помочь тебе?

— Ерунда какая-то. Она получит свое наследство, и все, только ее и знали! Ты что, не знаешь, как деньги портят людей?

— Но ты же сама говорила, что Валя — душевный, мягкий человек.

— Да и я вроде не самая черствая, и ты тоже. А теперь скажи: если бы ты разбогатела, с кем бы ты поделилась?

— С Матвеем, — не раздумывая, ответила я. — Купила бы ему квартиру в центре.

— Матвей нас, можно сказать, спас. А что такого особенного я сделала для Валентины? И потом, мама, не забывай, Караваев жив и здоров. Как-то рано ты его похоронила.

— Он был тогда болен, сильно. Не мог ходить, его же дружки сына так отметелили...

Мы говорили, а меня чем дальше, тем больше жег стыд. Все, казалось бы, делала правильно, все для нее, а она теперь смотрит на меня как на преступницу.

— Но я думала, что поступаю правильно, — промычала я уже сквозь подступающие слезы. — Ладно, давай спать. Не хочешь, не дружи с ней, раз тебе это так неприятно. Ты права, глупый план. Все, спокойной ночи.

Я легла, отвернулась к стене, закрыла глаза. По щекам текли слезы. Вот за что мне все это?

Валентина

Графиня Лопухина, насаженная на невидимую опору, наряженная в бледно-розовое шелковое платье с накидкой из тонкого кружева, была помещена под большой прозрачный колпак и задвинута в угол. Сам этот угол, как в музее, был огорожен малиновыми бархатными лентами. Словом, подойти так близко, чтобы разглядеть ее тщательно загримированное лицо с гроздьями блестящих темных локонов, было почти невозможно.

Приближаясь к салону, я почувствовала дрожь. Справиться с волнением не получалось.

Зал был полон посетителей. Сейчас все ходили главным образом вдоль кронштейнов с нарядами. Прикасаться ко всему здесь было позволено только в прозрачных перчатках. Розовая, в бантиках, картонная коробка с этими перчатками стояла на круглом столике прямо у входа, и опытные посетительницы тотчас выуживали их и кокетливо надевали, словно это были самые настоящие бальные кружевные перчатки.

Помимо любопытных молоденьких девушек, которым было явно не по карману оплачивать прокат дорогих платьев, корсетов и даже старинных ночных рубашек с кружевами ручной работы, в салоне было несколько дам постарше. Эти, едва войдя, тотчас принимали вид аристократок из старого кино и в одночасье менялись — становились более подтянутыми, даже более женственными. Смешно, что все как одна делали вид, будто здешние цены их нисколько не пугают.

Аню я увидела почти сразу и от страха спряталась за какую-то даму.

Она похорошела, похудела. На ней были голубые джинсы и белая батистовая блузка. Длинные, цвета молодого льна, волосы, загорелое лицо. В ту минуту, когда я ее увидела, она помогала одной клиентке снять парчовое золотое платье.

В какой-то момент она стрельнула глазами в сторону входной двери, наверное, хотела оценить, кого среди посетительниц больше — потенциальных клиенток или просто любопытных. Заметила меня, махнула рукой, мол, давай, присоединяйся.

Я подбежала к ней, ободренная, мы бегло поцеловались.

— Помогай! — весело сказала она, показывая еще на одну даму, которая вышла из примерочной. За дамой волочился шлейф черного бархатного платья.

Несколько часов я провела рядом с сестрой — помогала обслуживать клиенток. Деньги сыпались в кассу золотым дождем. Наконец, Аня решила сделать перерыв и закрыть салон. Было душно, пахло духами, старой материей, каким-то крепким цитрусовым ароматизатором.

— Здравствуй, сестренка! — Она смешно сморщила нос, поцеловала меня в обе щеки, прижала к себе. — Черт, как же я по тебе соскучилась!

— Ты бросила меня!..

Надо же, я сама не ожидала, что разрыдаюсь. Без слез, почти беззвучно, содрогаясь всем телом.

Но она словно не слышала — отстранила меня и с каким-то веселым восторгом оглядела с головы до ног.

— Ты чудесная! Бросила тебя, говоришь? Глупости! Просто я хотела, чтобы ты поднялась сама, чтобы справилась. Становление характера, понимаешь?

— Дура ты, Анька, — проревела я, обнимая ее. — Я же думала, что ты умерла. Я тебя в гробу видела...

Захлебываясь, я выложила все, что произошло с той минуты, как я увидела ее фотографию в саркофаге.

Она слушала, усмехалась, качала головой. Потом остановила меня:

— Пойдем пообедаем.

Мы сидели на террасе ресторана, полосатой от бликов солнца.

— Что скрывать, Тисульская принцесса — моя идея, — просто, как о само собой разумеющемся, говорила Аня. — Незадолго до этого у меня все получилось в другой авантюре... Что ты так смотришь? Да, пощупали немного одного типа, чиновника. Подлейшая личность, скажу я тебе. Но не в этом дело. Нужно было что-то делать с этими деньгами, во что-то их вкладывать, чтобы они заработали на полную катушку. Вот я и придумала эту принцессу.

— Как это — придумала? Да весь интернет о ней кричит!

— Согласна, она была, пятьдесят лет назад ее действительно нашли. Но сейчас это как-то забылось, вот я и решила напомнить. Подобрала двух проституток-близняшек, объяснила, где и как они смогут заработать, не раздвигая ноги. Кто бы сомневался, что они согласятся! Дальше я выкупила участок земли с пещерой. Знаешь, сколько мы в эту пещеру вложили? Мраморный саркофаг, генератор, гроб со всем оборудованием — это все стоит немерено. Уложили туда одну...

— А как же она там дышала? — перебила я. Неприятно, конечно, что нас с Олей обманули, подсунули фальшивку, но все равно интересно. А еще я гордилась своей сестрой, сумевшей все это провернуть.

— Там все устроено таким образом, чтобы только создать иллюзию, что девушка лежит в растворе.

На самом деле все хитро: она в камере с кислородом под вторым слоем стекла.

— И люди поверили?

— Да я сама чуть не поверила! Все получилось, народ валил валом, мы только успевали деньги считать. Конечно, и расходы были крупные, на одну только рекламу какие деньги ушли.

— А Кира?

— Савва подкинул идею с отелем Кире, своей сестре, а та уговорила мужа взять кредит. Они както очень быстро построили эту гостиницу. И очень кстати, ты бы видела, что творилось там в сезон! Приходилось ставить раскладушки в подсобных помещениях, делать перегородки на летней террасе и в коридорах, только чтобы разместить людей. Это был золотой проект!

— Так, постой. Почему же на фотографиях в гробу лежишь ты?

— Нужна была картинка для рекламы. Мы же готовились к сезону, вот и торопились, чтобы к началу мая и отель, и пещера были готовы принимать туристов. А ты подумала, что я на самом деле умерла?

— Да я не знала, что и думать. Конечно, я испугалась за тебя, стала тебя искать. Ты как раз перестала присылать деньги, как-то все совпало.

— Я не из-за денег, ты уже поняла, да? Хотелось, чтобы ты уже научилась жить сама, без подпорок. И я же отказалась от своей доли в квартире, позаботилась о тебе на все сто, разве не так?

— Но я тоже беспокоилась не из-за денег!

— Валя, Валечка, деньги в нашем мире решают почти все! Ладно, о деньгах потом. Знаешь, я хочу предложить тебе участвовать в моем следующем проекте. Мне нужна помощь здесь.

— Здесь? Помогать старухам примерять платья?

Я и сама не понимала, откуда эта злость.

— Чем тебе не нравится салон? По-моему, блестящая идея.

— Давай вернемся к принцессе. Она же еще там... Получается, мертвая?

— Тсс! — Указательным пальцем, холодным и пахнущим духами, Аня придавила мои губы. — Молчи.

Глаза ее потемнели, лицо вытянулось, уголки губ опустились. От прежней веселой Ани осталась только копна светлых волос. Сейчас передо мной сидела совсем чужая женщина, от которой исходила какая-то нехорошая энергия.

— Рассказывай! — приказала она, и я снова стала вспоминать наши приключения в Р. Надо же, выходит, она почти не слушала, что я говорила в самом начале.

— Вот мерзавцы! Я же приказала им завалить пещеру! — зашипела она, глядя куда-то вдаль. Потом достала сигарету, затянулась. — Эти две шлюшки поначалу радовались легкому заработку. Они лежали в саркофаге по очереди и получали, между прочим, огромные деньги. А потом стали пить. Понимаешь, когда ложишься в этот гроб, нужно для начала правильно лечь, а потом нажать на кнопки, чтобы в камеру стал поступать кислород. Так вот, Ирина, одна из сестер, с похмелья забыла все включить. Когда мы поняли, что она умерла, быстро подменили ее на сестру. Маринка поработала день, потом сказала, что ей все надоело, у нее проблемы со здоровьем и с психикой. Вот и все, из-за двух спившихся девок проект развалился. Хотя к тому времени, как все это случилось, может, в самом деле пора было прикрывать лавочку. Люди из администрации, которые позволили нам работать, уж не раз предупреждали, что формируется какая-то международная комиссия, которая должна найти объяснение этого феномена, а это значит, Москва позволит им изъять принцессу... Словом, пора было уходить, и мы ушли.

— Но как люди могли поверить, что в саркофаге настоящая Тисульская принцесса?

— Реклама! — Она пожала плечами. — Умная и дорогая реклама, только и всего. К нам приезжали со всего света. Мы же сняли документальный фильм о принцессе, начали даже подыскивать продюсера для художественной картины.

— А журналисты? Они ведь могли вас разоблачить!

— Зачем? Это же сенсация, их хлеб!

— Но почему все местные жители молчат?

— Это еще один бизнес-проект. За молчание я скупаю у них всю продукцию — все, что они мечтают сбыть. Я наняла людей, которые доставляют оттуда ягоды, грибы, бальзамы и прочее.

— Но почему они все-таки молчат? Понимаю, вы уехали, не похоронив тело, вам нужно было как можно скорее закрыть этот так называемый бизнес-проект, который уже тянул на уголовную статью. Что ты молчишь? Аня, выходит, в пещере до сих пор лежит труп Ирины?

Она усмехнулась.

— Нам показали его за деньги!

— Это местные подрабатывают. Догадываюсь даже, кто именно.

Я рассказала о девушке в доме старика Анисимовича. Пришлось, конечно, упомянуть и Савелия.

— Вот ты и познакомилась с моим мужем.

— Нет, мы с ним не знакомы. Сначала я просто увидела его в гостинице, потом выследила в доме у Анисимовича и просто догадалась, что это твой муж. Узнала его по фотографии. Но я не была уверена, что он на твоей стороне, поэтому никак не обнаружила себя, не знакомилась.

— Я отправила его за Мариной. Она стала настоящей алкоголичкой, практически уже невменяемой. Но она опасна: если раскроет рот и начнет говорить, может выдать нас с Саввой. Вот поэтому он время от времени туда наведывается и пытается ее увезти. А ей, знаешь, там нравится. Анисимович ее подпаивает и держит у себя, чтобы показывать таким вот дурочкам, как ты и твоя подруга.

— А если она умрет?

— Как говорится, нет человека — нет проблемы.

Она сказала это с такой легкостью, что меня передернуло. Нет, это была уже не моя сестра. Прямо на глазах она превращалась в монстра.

— Аня, что с тобой?

— А что со мной? — Брови, тонкие, красивые, взлетели, глаза расширились. — Со мной, как ты могла сейчас убедиться, все в полном порядке. У нас с Саввой новый бизнес, мы процветаем.

— Ты что, действительно ничего не понимаешь? Вы же угробили двух девчонок! Одна не похороненная лежит в каком-то чесночном маринаде...

— Это Федор, перед тем как пустить вас в пещеру, надавил там чеснок. Известный трюк!

— ...а другая в это время доживает последние дни у старого мошенника!

— Они сами выбрали этот путь.

— Аня, дорогая, да что с тобой?

— Я зарабатываю деньги своими мозгами и не совершаю ничего противозаконного. Мы даем людям то, что они хотят, — зрелища и адреналин! Между прочим, мы с Саввой работаем не покладая рук. И еще, если хочешь знать, обеспечиваем работой множество людей — портних, таксидермистов, копирайтеров.

— Ты хочешь сказать, что там, в витрине, действительно забальзамированный труп фрейлины Лопухиной?

— Нет, конечно. Это Таня, профессиональная натурщица, способная стоять в одной позе долгое время. За это свое умение она получает неплохие деньги. Есть и настоящий забальзамированный труп, но это отдельная история. Иногда мы подменяем Таню, чтобы публика могла убедиться, что перед ними действительно покойница. Говорю же, мы работаем!

— Но это не ты!

Аня положила свою руку на мою.

— Валюша, открой наконец глаза, оглянись! Неужели ты не видишь, что происходит?

— А что происходит? — Я даже оглянулась, еще не понимая, что она имеет в виду.

— Да то, что людям приходится выживать, понимаешь? Если хочешь жить нормально, надо работать, причем много. И в основном мозгами! Вот ты разносишь кофе с пирожными и сколько этим зарабатываешь? Копейки. А что ты будешь делать, когда у тебя появится семья, дети? На что вы будете жить? Никогда не рассчитывай на мужчину, поняла? Тебе надо получить образование, овладеть как-то профессией, научиться зарабатывать на себя. Вот поэтому я сейчас работаю за нас двоих, понимаешь? Квартира у тебя уже есть, теперь нужно заработать на твое образование. Можешь быть спокойна — у тебя есть сестра, которая о тебе позаботится. Да, я понимаю, что ты хочешь сказать. Думаешь, я сильно изменилась и стала циничной и жестокой? Дорогая, это только так кажется. Я дала Ирине и Марине возможность распрощаться с мерзкой работой, привезла в Р., платила им ни за что — всего лишь за то, чтобы лежали в саркофаге. Они получали по пятьсот евро в день! И чем все закончилось? Повторяю, они сами выбрали свой путь. Если Савва уговорит Марину вернуться сюда, я сама немедленно устрою ее в клинику.

— Потому что ты боишься ее?

Аня вздохнула, затушила сигарету.

— Ладно, пойдем. Пора открывать салон.

— Сейчас там Таня? Натурщица?

— Нет, она появится вечером. Сейчас там действительно труп. Очень хорошая работа — один человек забальзамировал труп умершей дочери и хранил ее какое-то время в загородном доме. Мы разыскали его, уговорили предать тело земле...

— А сами украли и выставили в салоне, да?

— Да. Иначе он бы спятил, понимаешь? А так он уверен, что дочь в могиле. Ходит туда, приносит цветы. Валя, ты просто многого не понимаешь в жизни. Но положись на меня, и все будет хорошо, вот увидишь!

— И все-таки Тисульскую принцессу на самом деле нашли тогда, в 1960-х?

— Да, это факт.

— Где же она?

— В Москве. Я пыталась ее разыскать, подключила связи, вышла на одного человека, который владеет полной информацией. Он генерал, служит в секретном подразделении ФСБ. Погугли — сама все поймешь. Ты же не думаешь, что в такой стране, как Россия, никому нет дела до паранормальных явлений?

— Ты можешь назвать его фамилию?

— Минкин, Михаил Семенович Минкин. Только что это тебе даст? Он все равно будет молчать. И вообще, зачем тебе все это? Живи своей жизнью, наслаждайся.

— Я хочу написать книгу.

— А, ясно. Что ж, удачи. Фантастика? — Она усмехнулась.

— Пока не знаю.

— Все ты знаешь. Никакого материала у тебя нет, остается только самой все нафантазировать. Если нужен настоящий материал, тогда тебе точно к Минкину. Он может помочь, но только в одном случае.

Она замолчала, задумалась.

— Аня, о чем ты?

— Знаешь, я вышла на него, когда у него в жизни была черная полоса. Влип в одну историю, ему тогда просто было не до меня. Но так получилось, что в тот самый вечер, когда мы встретились, кто-то собирался его всерьез подставить. Я здорово помогла ему с алиби, потом подключила кое-кого из своих питерских знакомых. Словом, он мне обязан.

— Но если так, почему же ты сама не вытрясла из него все об этом саркофаге?

— Ошибаешься, он рассказал мне довольно много. Именно с его помощью мне удалось организовать этот спектакль в Р. Откуда, как ты думаешь, взялись связи с местными чиновниками? Но мне-то до этого древнего трупа не было никакого дела, мне была нужна всего лишь красивая картинка, понимаешь? Реконструкция того события, не больше. Он показал пару фотографий, я срисовала ковчег, выяснила кое-какие детали. Больше мне от него ничего и не нужно было.

— Хорошо, но с какой стати ему помогать мне?

— Скажешь, что ты моя сестра.

— И все?

— Во всем нужен фарт, понимаешь?

— Что такое фарт?

— Валя, фарт — это и есть судьба.

— Ладно. — Я вздохнула, понимая, что не видеть мне этого Минкина как своих ушей. — Главное, что мы увиделись. Спасибо, конечно, за квартиру. А сама ты где живешь?

— Обо мне не беспокойся. У нас с Саввой квартира на Васильевском острове, дом в Италии, еще кое-какая недвижимость. Ты-то как? Честно говоря, я не ожидала, что ты двинешь в Сибирь разыскивать меня. Уважаю.

Она говорила о серьезных вещах с такой легкостью, что меня коробило.

— Подожди, я сейчас. — Она порылась в сумке, достала банковскую карточку, протянула мне. — Вот. Код запоминай!

Продиктовала четыре цифры, но я даже не старалась запомнить.

— Спасибо, я как-нибудь сама. — Я накрыла карту ладонью и отодвинула ее от себя. — Пока.

Меня душили слезы. В голове стучало одно: чтобы она, моя родная сестра, никогда больше меня не нашла.

Как описать то, что со мной творилось? Я и любила ее, сильно, до безумия, и ненавидела так же. Наверное, я действительно жила в своем маленьком мире, пахнущем кофе и пирожными, где мне было хорошо и спокойно. Я не обладала способностями, которыми была одарена моя сестра, зато жила в согласии с собой и мне не снились мертвые сестры-близнецы или усопшие фрейлины. Конечно, они мне еще будут сниться, но не так, как ей, Ане.

Неужели она действительно не чувствует, что виновата в смерти Ирины? Неужели не понимала, что рискует чужой жизнью? Что, если Ирина погибла не потому, что забыла нажать какую-то кнопку, а, скажем, из-за неисправности генератора?

А что будет с Мариной? Она тоже погибнет, и старик Анисимович, этот алкоголик и мошенник, зароет ее труп в своем огороде.

В Москву мы возвращались вместе с Караваевым. Всю дорогу я то плакала, то спала. Домой вернулась почти больная. Этому пускай хорошему, но малознакомому человеку я ни в чем не могла признаться — все, что меня волновало, было связано с тайнами сестры. Да, в душе я осуждала ее, но раскрывать ее секреты все равно не имела права. Это бизнес, ее бизнес, поэтому я молчала.

— Можно я буду звонить вам, Валя? — спросил Сергей Иванович, когда мы стояли уже у двери моей квартиры.

— Конечно, — ответила я рассеянно, — почему нет?

Очнувшись от невеселых дум, я встретилась с ним взглядом и снова подумала, что мы точно виделись раньше.

— Может быть, вы все-таки заходили в наше кафе? Вы любите эклеры? — Я заставила себя улыбнуться.

Ольга

Все как-то изменилось с тех пор, как Валя вернулась из Питера. И сама Валя стала другой — теперь она почти не улыбалась. Тайна ее будущего богатства не давала мне покоя. Да что там, я разве что рот скотчем не заклеивала, до того было ее трудно хранить.

Мама много раз звонила, чтобы спросить, знает ли Валя, что Караваев отписал ей все свое имущество, есть ли какие-то признаки, и каждый раз я с раздражением отвечала, что никаких признаков нет.

Моя подруга кисла, на нее было больно смотреть. Конечно, вернувшись, она первым делом сказала, что с сестрой все в порядке, что та купила квартиру на Васильевском острове, а ей оставила родительскую и даже сделала там ремонт. Получается, с сестрой они не ссорилась, наоборот, в Валиной жизни благодаря Анне сплошные перемены к лучшему.

О встрече с Караваевым она тоже рассказала. Тема не была под запретом: все знали, что Караваев и Валя случайно встретились на Невском. Судя по тому, как она все это излагала, он не произвел на нее ни малейшего впечатления. Получалось, что влюбиться в него она не успела, а может, он ей просто не понравился.

И все-таки что-то угнетало ее, мучило. Я решила задать ей этот вопрос в лоб. Сказала, что не могу видеть, как она страдает.

— Оля, я же тебе деньги должна, ты что, забыла? Знаешь, я вот что решила. Поживу-ка я пока на даче одной моей знакомой, официантки Фенечки. Она поссорилась с родителями, ушла из дома и живет на даче. Дача большая, в лесу, там очень тихо и есть все условия для работы.

— Для какой работы?

— Я же книгу пишу, — ответила она неуверенно, словно сама удивилась сказанному или даже попросила прощения.

— Это выходит, я тебе мешаю?

Я сама не заметила, как на глаза от обиды навернулись слезы. Что же это значит? Меня заставили подружиться с человеком, можно сказать, вынудили, и вот теперь, когда я наконец к ней привязалась и по-настоящему стала считать своей подругой, она вдруг резко отдаляется от меня, причем настолько, что даже не желает жить со мной под одной крышей. Неужели она о чем-то догадалась? Но о чем? Она никак не могла узнать, что меня заставили с ней познакомиться. Этого не знал никто, кроме мамы.

— Да ты ни при чем, — она слабо улыбнулась. — Здесь все сложно.

— Но если ты из-за денег, то зачем такая спешка? Будешь отдавать немного с каждой зарплаты, вот и все. И потом, раз я путешествовала вместе с тобой, значит, должна вычесть из твоего долга стоимость билетов и проживания. Не волнуйся, Валечка, все будет хорошо!

— Оля, говорю же, ты ни при чем. Расскажи лучше о своем Иване, вернее Мише. Как вы расстались? Он звонит, пишет? Если не хочешь, можешь не отвечать.

— Звонит, — ответила я тихо, словно боясь расплескать свое счастье. — Редко, но звонит. Говорит, что скоро приедет и заберет меня с собой.

— Вот это новость, я понимаю! Я так рада за тебя!

— Валя, что случилось в Петербурге? Ты вернулась сама не своя...

— Оля, пожалуйста, не надо!

— Но я же твоя подруга! Скажи, я тебе подруга или так, просто знакомая?

— Да что ты, конечно, подруга. Но мне даже тебе неприятно объяснять. Стыдно, понимаешь? Это сестра. Она такая... У нее все получается, она удачливая просто невероятно! Но представь, оказывается, она перестала присылать деньги и изменила номер телефона знаешь из-за чего? — Валя горько усмехнулась. — Она хотела, чтобы я сама что-то предприняла, начала как-то действовать. Словом, она решила меня бросить, как щенка в реку, чтобы я сама выплыла.

— Да, резковато, хотя так ведь многие думают. Другое дело, что она как будто совсем не отдавала себе отчет, что ты будешь волноваться. Ей, наверное, и в голову не пришло, что ты влезла в долги, чтобы отправиться ее искать. Вот это обидно, да? Ты поэтому такая грустная?

— Она попыталась дать мне свою банковскую карточку, но я не взяла.

— Почему?

— Потому что я сама должна зарабатывать, понимаешь? И доказать первым делом себе самой, что я тоже на что-то способна, что у меня тоже есть талант и мозги. Вот почему я и хочу плотно засесть за роман. А здесь, рядом с тобой, боюсь, я не смогу сконцентрироваться. Мне нужна смена обстановки.

— Положим, ты и так уже круто сменила обстановку. Вон и в Сибири успела побывать, и в Питере...

— Я так решила, — настойчиво повторила Валя. — Ты не бойся, я буду платить за квартиру и приезжать, конечно, буду. Думаешь, я к тебе не привязалась? Просто сейчас мне надо побыть одной, подумать, поработать. И еще я волнуюсь, вдруг ничего не получится.

— Но ты же будешь там не одна, а с этой Фенечкой!

Честно, я не могла успокоиться. Надо же, меня бросают, и как раз в тот момент, когда я узнала правду о будущем Валином наследстве!

— У нее есть парень, он почти каждый вечер ее забирает. Так что я в основном буду там совсем одна.

Пора было остановиться и прекратить ее отговаривать, иначе все это могло бы показаться подозрительным. Ладно, решила, значит, решила. Может, оно и к лучшему. Мне тоже хотелось побыть одной и тихо, не спеша осмыслить собственное счастье.

Все, что произошло со мной в последний день нашего пребывания в Р. и потом, в купе поезда, я могла вспоминать и смаковать часами. Принято считать, что командировочный роман обречен на скорое расставание. Что ж, пускай тогда таких романов у меня будет много, каждый месяц — вот до чего я была счастлива в своей новой любви, в своей страсти. Все знала, все понимала и все равно раскрыла этому взрослому мужчине свои объятия.

Даже если забеременею, так я решила, обязательно оставлю ребенка. Он всегда будет напоминать мне о любимом человеке и непременно родится умным и красивым, как его отец, а это ли не счастье? Но беременности не было, я проверила. Зато была любовь, та самая тревожная лихорадка, которая охватывает каждую девушку, пока она ждет звонка, сигнала, поступка, и заслоняет собой весь мир. Может быть, из-за этого ожидания я так легко позволила Вале уехать. Я даже не спросила, где именно эта дача, в каком направлении, далеко ли от Москвы.

Маме о Михаиле я так ничего и не рассказала. Заранее знала, как она отреагирует. Конечно, она сочтет, что наш роман — это пошлая интрижка. Обязательно будет плакать, переживать за меня, еще и попытается разыскать по интернету негодяя и мерзавца, обманувшего дочку. Уж не знаю, к счастью или нет, но мама так хорошо освоила интернет, что приобрела привычку советоваться с ним по любому поводу. Еще она разыскала школьных подруг, каких-то знакомых, завязала новые знакомства и вдобавок научилась играть в игры.

— Я теперь пользователь покруче тебя, — заявила она однажды, и я расхохоталась — до того задорно и молодо это прозвучало.

Сама я по-прежнему работала на фабрике, хотя Михаил и настаивал, чтобы я уволилась и ждала его приезда. Он сказал, что, как только работы станет меньше, он выкроит время и вернется за мной в Москву, а чтобы я ни в чем не нуждалась, оставляет мне деньги. Много денег. Сначала я обрадовалась, ведь если мужчина дает тебе деньги, выходит, он заботится о тебе. А ледяная мысль колола иглой: он заплатил за приятно проведенное время и больше, дорогая моя дурочка Оля, конечно, не вернется. Забудь его.

Но если он хотел меня бросить, тогда зачем звонить по несколько раз в день? Зачем говорить о любви? И что ему может быть нужно, если он не тот, за кого себя выдает?

Как бы там ни было, каждое утро я выпивала чашку кофе и мчалась на вокзал, чтобы успеть на электричку, а вечером возвращалась с фабрики на Цветной бульвар и ужинала в полном одиночестве. Иногда приезжала мама, привозила еду, какие-то подарки, расспрашивала о Вале и сама рассказывала о Караваеве.

— Работает. Утром съедает завтрак и отправляется на работу. Думаю, он окончательно поправился. Хоть бы не прогнал меня.

— С какой стати? Ты же теперь не сиделка, а домработница. Он что же, сам будет мыть полы и варить борщ?

В тот вечер я вернулась домой чуть позже обычного. Зашла в супермаркет, купила кофе и печенье. Было ли у меня какое-нибудь предчувствие? Нет, ничего такого. Я просто достала ключи из сумки и отперла дверь. Вошла и сразу поняла, что приехала Валя: ее розовые кроссовки стояли у порога. Я обрадовалась, бросилась в комнату — и тут же застыла. Валя сидела на диване с опухшим от слез лицом. На полу валялись какие-то бумаги.

— Что случилось? Умер кто-то? — Я и сама начала волноваться, даже страшно стало. Первое, что пришло в голову, — что-то случилось с ее сестрой.

Больше никого в ее окружении я не знала — никого, по кому она могла бы так горевать. Разве что по мне?

— Оля. — Она с трудом могла говорить, слова выходили медленно, с хрипом. — Оля, я не понимаю. Зачем тебе все это понадобилось?

— Ты о чем?

Меня прошиб пот. Что случилось? Что она обо мне узнала? Неужели она встречалась с Караваевым и он ей все рассказал?

Она подняла с пола смятый лист бумаги и протянула мне. Этот документ я видела впервые. Обычный лист А-4 с текстом и печатью.

«Нотариальная контора». Я расправила листок, прочла. Мне стало нехорошо. Быстро, очень быстро я поняла, что произошло и когда это случилось. И еще поняла, что потеряла Валентину навсегда. Никакие слова, доводы, оправдания, слезы — ничто теперь не поможет. Ничто! И все это сделала моя мама. Моя безумная, моя сумасшедшая мама.

— Я вижу это впервые, — тихо сказала я, — хочешь верь, хочешь не верь.

— Собирай вещи и выметайся из квартиры, — отрезала она сухо. Подняла листок, разорвала. — Сейчас я уйду, вернусь через час. Чтобы к этому времени тебя здесь не было.

Она ушла, я слышала, как хлопнула дверь. Я зажмурилась в надежде, что, когда открою глаза, никаких бумаг на полу уже не будет. Увы, на паркете по-прежнему беспорядочно лежали страницы, и на них значилось, сколько и когда я одолжила Валентине Юдиной.

Не знаю, сколько времени прошло. Я сидела не двигаясь и пыталась понять, как жить дальше, как вдруг в дверь позвонили. Это Валя! Она в сердцах захлопнула дверь и не взяла ключи. Она успокоилась и вернулась!

За дверью стояла мама. Нарядная, в красной блузке и белой шифоновой юбке, с аккуратно уложенными волосами, помолодевшая, веселая. В обеих руках она держала по белому полиэтиленовому пакету.

— Привет! Скучаешь?

Я размахнулась и ударила ее наотмашь по лицу.

Валентина

В оцепенении я сидела на Цветном бульваре и никак не могла собраться с мыслями. Из меня словно разом вынули сердце и волю.

Может, я что-то не так поняла? Но документ подлинный, там стоит печать нотариуса Тарасовой. Все прописано четко. Но зачем понадобилось сковывать меня генеральной доверенностью? И ведь подпись моя, не подделка! Я даже знаю, когда подмахнула эту страницу. Этот было в тот день, когда мы составляли расписку, что я беру у Оли в долг. Она просто подсунула мне еще одну бумажку, и я ее подписала.

Совершенно ясно я вспомнила эту сцену. Вот бумаги падают, разлетаются, Оля поднимает какой-то документ, протягивает мне, и я подписываю не глядя. Потом она спохватывается, говорит, что я подписала ее соглашение с тем человеком, у кого она одолжила деньги. Только после этого передо мной появляется уже другой, правильный документ. Я пробегаю его глазами — из написанного следует, что Оля дает мне на погашение долга не один год, а целых два. Тогда я так обрадовалась, что могла бы подписать самой себе смертный приговор, и тоже не глядя.

Но зачем Оле понадобилась эта генеральная доверенность? И что за нотариус такой, который пошел на подлог и поставил печать на документе, оформленном без моего присутствия? Какая-то Тарасова. Теперь, если ее прижмут, она, конечно, скажет, что я там была, вот же моя подпись. Между прочим, это докажет любая экспертиза.

Что они с матерью задумали? В том, что к этому гнусному делу приложила толстенькую и сильную ручку ее мамаша, я нисколько не сомневалась.

Неужели решили взять от моего имени кредит? Уже взяли?

Мне стало дурно. Вот только этого не хватало!

А может, я успела вовремя и ничего страшного пока не случилось?

Все вышло совершенно случайно. Шеф попросил паспорт, сказал, что грядет какая-то проверка, нужно уточнить данные. Я поехала на Цветной, залезла в секретер. Пока искала паспорт, уронила стопку документов — как раз тех, с расписками насчет моего долга Оле. Совершенно случайно увидела слово «доверенность». Прочла и даже не сразу поняла, что читаю.

Откуда у них мои паспортные данные? Конечно, Оля переписала за моей спиной. Кто же они, эти Александра и Оля? Мошенницы, которые явились в Москву обделывать делишки? Ладно, Александра хотя бы устроилась в богатый дом, там есть чем поживиться. А с меня-то что взять, кроме паспортных данных, которые можно использовать для махинаций с кредитами?

Надо было действовать. Но как? Сестрица моя далеко. Уж она-то, оказавшись в такой ситуации, не растерялась бы, нашла способ обезопасить себя. Хотя вряд ли она попала бы в такой переплет: она-то жизнь знает лучше меня.

Оставалось позвонить Караваеву и попросить о встрече. Надо же, он обрадовался. Конечно, откуда ему знать, что сулит этот наш разговор. Да и неизвестно еще, захочет ли он расстаться с Александрой.

Он припарковался где-то неподалеку, нашел меня в сквере и бросился ко мне чуть ли не с объятиями, как будто мы давно и хорошо знакомы.

— Сергей Иванович, разговор будет не из легких, — начала я, чувствуя себя совершенно беспомощной. — Должна сказать вам кое-что важное.

— Хорошо, поедем в одно место, там и поговорим.

Он выглядел совсем как киноактер — красивый, ухоженный, в светлых брюках и черной рубашке. И не скажешь, что не так давно он был на грани жизни и смерти. Или Оля и здесь соврала?

Он привез меня в ресторан. Нервно комкая салфетку, я принялась рассказывать о том, как нашла доверенность.

— Как вы думаете, они взяли кредит на мое имя?

— Мы вроде договорились перейти на «ты».

Ясное дело, это было для него важнее моих забот. Богатые редко плачут.

Дальше произошло что-то совсем уже из ряда вон. Мало того, что я была на взводе и меня трясло, теперь еще и этот непонятный поступок. Со странной улыбкой Караваев вдруг достал из кармана небольшой рулон из пятитысячных рублевых купюр, стянутых розовой резинкой, и положил его передо мной на скатерть.

— Что это?

— Валя, пожалуйста, посмотри на меня внимательно! — Он продолжал улыбаться, правда, теперь эта улыбка была какой-то умоляющей. — Неужели ты меня не узнаешь?

— Да, знаю, мы где-то встречались, хоть я никак не могу вспомнить где. Только при чем здесь деньги?

Он протянул мне свой телефон и показал фото. Меня как током ударило. Бомж Вадим! Тот самый, избитый, в крови, которого я выхаживала у себя дома. Он с ним знаком, что ли?

— Вадим — это я, — не выдержал наконец Караваев.

Нет, этого не может быть. Тот был старше, а главное, выглядел ужасно. Нет, он совсем не походил на сидящего передо мной человека.

— Не узнаешь, да?

Он расстегнул рубашку и показал шрам — как раз на том месте, под левым соском, где была рассечена кожа. Думаю, кто-то заехал туда ботинком. Но, боже мой, ведь именно эту рану я лечила — заливала в нее перекись, накладывала повязку.

— Ты видела меня голым. Могу хоть сейчас показать родимое пятно, сама знаешь где. Такое коричневое, в форме вишни.

Я почувствовала, что краснею. Да, я отлично помнила это пятно, потому что думала, что это грязь, и пыталась отмыть ее. Приходилось делать это, отвернувшись, поскольку пятно находилось в интимном месте.

— Так значит, ты и есть Вадим, тот самый бомж. Но как? И при чем здесь деньги? Это что, плата за перевязку?

— Я же забрал у тебя последнее, все, что было на кухне в шкафчике. Четыре тысячи.

— Да бог с ними!

— Здесь двадцать, с процентами.

— Ты спятил?

Губы еще произносили слова, а я вдруг поняла, что сижу за столом не с буржуем Караваевым, а с отмытым ряженым Вадимом. Проступили знакомые черты лица, нахлынули вспоминания.

— Ничего не понимаю. Кто ты на самом деле?

— Сергей Караваев.

Он стал говорить о своем сыне. Я сидела и плакала. Так явственно все представила — как будто увидела этого мальчишку, которого уже нет в живых, и впустила в сердце трагедию самого Караваева. Ничего не нужно было говорить, да и к чему слова? История знакомая, сотни раз слышанная.

— Постой, но все-таки при чем я?

— Я был болен, думал, что умираю. Пошел к Комаровскому, это мой друг, нотариус, и составил завещание в твою пользу.

— Завещание? Ты был так плох?

— Представь, даже ходить не мог, передвигался в инвалидном кресле.

— Но как ты меня нашел?

Соглашусь, вопрос не самый умный. Он знал адрес съемной квартиры, при желании можно было не только найти меня, но и узнать обо мне все хотя бы у участкового. Или проследить за мной до места работы и там все узнать. Караваев — человек не бедный, для него точно не составило бы труда нанять специально обученных людей.

— У Комаровского я впервые увидел и Александру.

Надо же, он успел построить целую гипотезу. По его идее выходило, что Александра, уборщица в офисе нотариуса, каким-то образом узнала о том завещании. Она могла подслушать, о чем говорили между собой сотрудники конторы, или залезть в документы на столе у Комаровского. Потом она разыскала меня, подстроила нашу с Олей встречу и заставила ее в подходящий момент подсунуть мне генеральную доверенность. С этой доверенностью после смерти Караваева она собиралась разорить меня.

Все это было похоже на правду. Я была потрясена.

— И она же переметнулась от Комаровского к тебе, чтобы спокойно дожидаться твоей смерти прямо у тебя в доме? Хотела быть в курсе событий, получается так? А ты знал об этом, но до сих пор ее не выгнал? Почему?

— Не знаю, поймешь ли ты меня. Видишь ли, Александра не убийца. Больной и беспомощный, я был полностью в ее власти, однако она не убила меня, не отравила и не придушила подушкой. Все эти месяцы она поднимала меня на ноги и ухаживала за мной так, как могла ухаживать только мать. Да, дорогая, так все и было.

— Тогда я решительно ничего не понимаю.

— Полагаю, вся эта история с завещанием и ее желание прибрать к рукам то, что могло достаться тебе, — следствие импульсивного поступка, не более. Да, они с дочерью поступили очень дурно, обманули тебя. Хотя, знаешь, не уверен, что в случае моей смерти они пустили бы эту доверенность в ход и причинили тебе зло.

— Интересно, что бы им помешало?

— Как Александра ухаживала за мной со всем тщанием и вкладывала в это всю себя, так и Оля наверняка душевно расположилась к тебе. Опять же, допускаю, что мать могла и не посвятить ее в свои коварные планы. Я достаточно изучил Александру, чтобы с большой долей вероятности предположить, что она заставила Ольгу познакомиться с тобой, но не объяснила зачем. Наверняка придумала какую-нибудь байку. Скажи, живя с Олей в одной квартире и общаясь с ней постоянно, ты чувствовала фальшь?

— Нет, никогда. Но то, что она всегда рвалась мне помочь, причем чрезвычайно активно, это факт. Она же раздобыла деньги для поездки в Кемерово, заняла у кого-то.

— Эти деньги дала ей мать. Я плачу ей достаточно, чтобы можно было скопить и не такую сумму. Так что история насчет заложенного дома — чистой воды сказка, можешь быть уверена. Никому эти кумушки ничего не должны.

— Но я-то им должна!

— Расплатишься.

— Конечно, расплачусь, я же работаю. Но что мне теперь делать? Как быть?

— Думаю, вам с Олей надо расстаться. Вернешь ей долг, возьмешь расписку, и поминай как звали.

— А как поступишь ты с Александрой?

— Никак. Оставлю ее у себя — как будто ничего не знаю. Или, наоборот, все знаю, но решил ее простить.

— Ты ненормальный?

— Очень может быть. Ты пойми, они многое пережили, в какой-то момент были на грани жизни и смерти и выжили в Москве только благодаря тому, что много работали. Я же наводил справки насчет Александры.

Открытия следовали одно за другим. Оказывается, Караваев не так простодушен, как казалось. Уже хорошо, что, прежде чем взять в дом бывшую уборщицу нотариуса, он навел о ней справки.

— Она золотая женщина, ей просто не повезло с мужем. Так бывает.

— Ладно, мне пора, — кивнула я скорее по инерции. Честно говоря, я понятия не имела, куда идти и как дальше жить. Невозможно было представить, что вот сейчас я вернусь в дом и не найду там Олю.

— Выходи за меня замуж.

— Что?

— Ты не ослышалась. Понимаю, ты не испытываешь ко мне никаких чувств, но этот брак хотя бы защитит тебя. Я предлагаю тебе свою любовь и заботу.

Впервые за этот сложный день я улыбнулась. Вся моя жизнь до этой минуты показалась какой-то ломаной-переломаной. Предательство сестры, разочарование в ней, Олина подлость, эта доверенность, завещание, бомж-миллионер... Моя голова готова была взорваться. Еще я ни на минуту не могла забыть, что должна расплатиться с Олей. А самое главное — оставалась Марина, о которой я не переставала думать. Я была уверена, что Савве не удалось вернуть ее в Петербург. Но даже если он ее увезет, вряд ли эта парочка станет ее лечить. Сердце моей сестры давно превратилось в лед, в этом я сама могла убедиться.

— Ты предлагаешь мне фиктивный брак?

— Я предлагаю тебе самый настоящий брак и свою любовь, — в его голосе зазвучала нежность, — а уж как ты воспримешь мое предложение — тебе решать.

— Хорошо, я согласна.

Я весьма смутно представляла, что со мной будет дальше, поэтому, наверное, и согласилась так поспешно.

Сергей подозвал официантку и заказал шампанское.

— За любовь! — провозгласил он первый тост.

Спустя два часа в квартиру Караваева приехала бледная и испуганная Оля. В присутствии адвоката мы вернули ей долг, а еще через полчаса, когда явился Комаровский, которого вызвал Сергей, остановили действие доверенности. Красная как помидор Александра собственноручно разорвала документ.

— Прости меня, — Оля плакала навзрыд и закрывала лицо руками, — прости, я ничего не знала!

— Она ничего не знала, — угрюмо подтвердила Александра. — Сергей Иванович, мне собирать вещи?

— Ты никуда не поедешь, — сказал он ей строго, и она, обрадованная, исчезла, ушла куда-то к себе. Оля тоже ушла, вот только не знаю куда.

— Сейчас мы поедем на Цветной бульвар, заберем твои вещи, встретимся с хозяйкой квартиры и отдадим ключи. Скажешь, что выходишь замуж, — мягко командовал Сергей.

Уж не знаю почему, но мне это нравилось. Думаю, в глубине души я давно мечтала, чтобы кто-то опекал меня, направлял. Караваеву я доверяла полностью. Что поделать — мы с сестрой действительно разные.

Мой будущий муж не унимался:

— Едем к твоему Пелькину, и ты увольняешься. Думаю, ты не против?

— А что я буду делать? Сидеть дома?

— Тебе надо учиться. И потом, ты же пишешь роман.

О романе я заикнулась сама, когда речь зашла о моем долге. Я же, глупая, надеялась, что верну Оле долг, когда выплатят гонорар. Самонадеянная дурочка!

— Все это несерьезно, не говоря уже о том, что мне не хватает материала. Я слишком рано уехала. Мне вообще стоит туда вернуться, у меня там дело. Надо бы кое с кем встретиться и попытаться спасти одну девушку.

— Я поеду с тобой, если ты не против.

Выдержать еще и этот подарок я была уже не в силах. Мы с Караваевым снова открыли шампанское, и я не помню, когда отключилась. Думаю, никогда в жизни я не чувствовала себя настолько защищенной. Все мои неурядицы решились мгновенно — как по волшебству.

Анна

Савва появился в салоне, когда я уже собиралась закрываться. Я бросилась к нему и, мыча что-то сквозь слезы, обняла его, прижалась.

— Она уехала, деньги не взяла. Она не оценила ничего из того, что я для нее сделала и собираюсь сделать. Она считает, что мы с тобой преступники. Что это мы убили Ирину.

— У меня тоже не самые радостные новости, как понимаешь. Все идет к тому, что она не приедет. Думаю, она боится нас.

— Мы что, чудовища какие-нибудь? Или она забыла, как жила и чем занималась? Она же погибнет там!

— Знаешь, я устал ездить и уговаривать ее. Не мог же я насильно взять ее в охапку и повезти в аэропорт.

— Да, понимаю.

Савва. Я пустила корни в этого мужчину. Доверилась ему, хотя это против моих правил. Сколько у меня было мужчин — все оказывались предателями. Правда, расставалась я с ними легко, должно быть, не любила.

С Саввой все по-другому. Пожалуй, я была бы с ним счастлива, если бы не думала постоянно, что и он когда-нибудь предаст меня, променяет на другую. Ревность и подозрительность отравляли жизнь, не давали сполна насладиться любовью и счастьем.

Савва сделан из того же материала, что и я. Мы с ним читаем мысли друг друга, понимаем без слов. И еще он единственный мужчина, рядом с которым я позволяю себе расслабиться. Именно так — позволяю себе побыть слабой женщиной. Где раздобыть, где купить драгоценные гарантии его преданности и любви? Какой нужно быть, как себя вести, чтобы не потерять его? Сколько лет мне отпущено быть рядом с ним, как это узнать? Как быть готовой к тому, что однажды он уйдет?

— Думаю, она будет молчать, — сказала я. — Ты дал ей денег?

— Само собой. Только мы оба знаем, на что они пойдут. Она сопьется и умрет.

— Получается, она обречена, как ее сестра?

— Но я же не мог не дать ей ничего!

Я рассказала все, о чем узнала от Вали. Что Федор раскопал пещеру и водит туда редких туристов.

— Знаю, Анисимович проболтался. Но Федор скоро уедет к сыну в Сочи, думаю, уже уехал: я подкинул ему деньжат. Правда, те двое, что знают о пещере, наверняка продолжат дело и без Федора.

— Продолжат, если дураки. Вдруг органы пронюхают, тогда пускай они и отвечают за труп. Если мозгов нет.

— Так что с Валентиной?

— Она видела тебя там. Она же отправилась туда, чтобы найти меня.

Я рассказывала Савве о сестре, и сердце сжималось от боли и страха за нее.

— Она совсем другая, понимаешь? Идеалистка! И ей слишком мало нужно. Вот увидишь, будет до старости работать в этой своей кондитерской.

— А ты купи ее, и пусть она будет там хозяйкой.

— Да не нужно ей это. Она не сможет. Растеряется, ее обманут. Потеряет и кондитерскую, и себя. Ей бы, по-хорошему, замуж выйти. Только где она найдет мужа по себе?

— Не понимаю, почему она не подошла ко мне там, в Р.

— Не была уверена, что ты на моей стороне, так она выразилась. Знаешь, по большому счету, она все сделала правильно. Она же ничего о тебе не знает.

— А я говорил тебе: напрасно ты так резко с ней порвала.

— Да ничего я не рвала! Просто хотела, чтобы она сама начала шевелиться.

— Чтобы быстрее разносила свои подносы с кофе? Сама же говоришь: она из другого теста, она поняла твое исчезновение как предательство. Ты ее ранила, да-да, не спорь! Мало того что она живет в Москве одна, без близких, без семьи, крутится как может, снимает квартиру, так еще ты решила потуже закрутить гайки и оставить ее без помощи? А если бы она заболела, как бы ты об этом узнала?

— Она в любой момент могла приехать в Питер.

— Ты уже успела забыть, что сама запретила ей приезжать? У нас же тогда такое творилось — сами с трудом выкарабкались.

— Значит, я ошиблась. Но поверь, я хотела как лучше.

— Получается, ты совсем не знаешь собственную сестру. А теперь еще вы поссорились. Я лично ее понимаю. Наш сибирский проект — опасное предприятие. Сам до сих пор удивляюсь, как мы могли продержаться целых пять месяцев!

— Сам же говорил — фарт!

— Вовремя уехали.

— Как там Кира?

— У нее любовь, но отель не бросает. Чисто, хорошо — она за всем следит, сама убирает.

— Но он же пустой.

— Не скажи. Там сейчас группа ученых или геологов, я так и не понял. Вроде серебро ищут. Серьезная организация, хорошо платят, еду им привозят из Кемерова. Кира говорит, мужики не бедствуют.

— Ого. Тебе это не показалось подозрительным?

— Еще как. Ясно, не серебро они ищут, а что-то другое. Может, эти ребята и из спецслужб, похоже на то. Работают тихо, ни с кем из местных в контакт не вступают. Кажется, москвичи. Ладно, бог с ними. Как вы здесь? Как Таня?

— Только что ушла. Все в порядке. Еще пару месяцев поработаем, а потом надо бы перебираться в Москву. Займись, пожалуйста, поиском помещения. Чтобы в самом центре на какой-нибудь тихой улочке. Желательно рядом с театрами. Продюсера мы нашли, вот только кто будет писать сценарий фильма — ума не приложу. Человек-то должен быть свой.

— Подумаем. Может, сами напишем.

Дверь салона отворилась, вошла посетительница — дама в возрасте. На ней было длинное черное бархатное платье и белый плащ, на голове — высокая прическа с накладными локонами. Сухое бледное лицо сильно напудрено, на тонких губах ярко-розовая помада. От посетительницы пахло нафталином и горькими духами.

— Добрый вечер, — обратилась она ко мне, и я успела пожалеть, что вовремя не закрыла салон.

— Добрый вечер, сударыня. К сожалению, мы закрываемся.

— Я хотела бы взглянуть на свою прапрапрабабку графиню Лопухину. — В ее словах были одновременно гордость и гнев.

Неприятный холодок кольнул в сердце. Знакомое ощущение — так бывает в самые опасные минуты жизни.

Савва подошел к даме и поцеловал ей руку.

— Неужели вы праправнучка самой графини Лопухиной?

— А вы... Боже мой! Савелий Беркутов, я не ошиблась? Постойте, я достану очки.

Я улыбнулась.

Александра

С вином и закуской я явилась на склад к Матвею. Без слов он усадил меня за стол и запер дверь, чтобы нам никто не мешал.

— Он звонил? Он приедет? — спросила я сразу, с порога.

— Приедет через час-полтора. А ты что так нервничаешь, первый раз, что ли, меняешь работу? Рассказывай-ка, что случилось.

— Оля меня ударила, — призналась я и, держась за щеку, разрыдалась.

— За дело?

Я кивнула. Немного успокоившись, стала рассказывать. Матвей разлил вино, помыл яблоки, открыл коробку с конфетами — все это внимательно меня слушая. Стоило мне закончить, как он вздохнул.

— Вроде как не твоя это история, честное слово. — Он развел руками. Невысокого роста, худой, жилистый, с аккуратно подстриженными седыми волосами, в черной футболке и старых джинсах, он сидел напротив, смотрел на меня своими маленькими темными глазами и, казалось, не знал, что и сказать.

— Ты считаешь меня преступницей?

— Я тебе так скажу, Саша. Если бы я не знал тебя, не видел, как ты умеешь работать и что ты за человек, тогда, может, и в самом деле подумал бы, что ты преступница. Но ты какая-то непоследовательная преступница. Вроде ждешь, когда этот Караваев помрет, а сама тут же его лечишь. Запуталась ты, я вижу. Сама-то понимаешь, чего хочешь от жизни?

От такого вопроса я поначалу даже растерялась. Подумала, выпила вина, закусила конфетой.

— Покоя хочу. Устала я, Матвей. Вот как лошадь впряглась в эту жизнь и тащу, тащу на себе все. Боюсь оказаться на улице, а ведь сама-то уже почти на улице. Не могу я оставаться у Караваева, не имею права. Он теперь с Валентиной, вместе живут. Не как муж с женой, но все к этому идет, я же чувствую. Он вроде и простил меня. А она, Валя?

— Надо уходить оттуда, Саша, здесь ты права. Понимаю, конечно, ты привыкла к Караваеву, но после всего, что случилось, он не сможет относиться к тебе по-прежнему. Как бы сам ни хотел, все равно не получится. Да ты и сама это знаешь, иначе зачем просила организовать вам с Жорой встречу?

— Запуталась я. Такое чувство, как будто окончательно все растеряла. Сначала мужа и дом, потом работу у Караваева и, самое главное, Олю. Вроде не убила никого, всем только добро делала...

— Олю ты подставила крепко, это да. Может, ей поначалу и трудно было жить под одной крышей с незнакомым человеком, но она же наверняка не хотела тебя ослушаться. А потом, только она привязалась к этой Валентине — все-таки вместе в Сибири были, многое повидали, пережили, такое случилось. Думаешь, ей не больно?

— Да я уже устала просить у нее прощения. Телефон она не берет, живет у Кати. Эсэмэски ей шлю, письма на электронную почту отправляю — никакого ответа, молчит. Знаю, что переживает. И что в конечном счете получилось? Если Жора меня не возьмет, куда я пойду? А с Олей что будет? Да, я тебе не сказала: у нее там, в Сибири, роман нарисовался. С женатым, так я думаю. Он ее до самой Москвы провожал, в купе, значит, всю дорогу любились. Вижу, что она страдает. Наверняка же поиграл с моей дочкой и бросил ее. Мне бы ее пожалеть, прижать к груди, но как? Она меня видеть не хочет! Что делать, Матвей?

— Не раскисать, Александра. Сама знаешь: Москва слезам не верит! Дождись Жору и иди работать к нему. Он, знаешь, звонит время от времени, рассказывает о делах. Просит найти ему то кухарку, то посудомойку, он теперь еще и кормит своих постояльцев, то уборщицу. Но где я ему найду? Нужны люди проверенные, а я всех знакомых уже устроил. Жена ему пирожки пекла неделю, а потом отказалась. Хлопотно это, возраст уже не тот.

Когда в дверь постучали, меня как током ударило. Я вся была как на иголках, даже вино не помогло, наоборот, еще тревожнее стало.

Матвей открыл дверь, и я увидела Жору. Так изменился! Похудел, помолодел. Матвей вроде намекал, что у Жоры ко мне были какие-то чувства? Я усмехнулась про себя. На что я ему?

В летнем светлом костюме и коричневых туфлях, весь праздничный, сияющий, Жора протянул мне букет гладиолусов.

— Привет, Александра! — Он бросился меня обнимать. — Ох, как я рад тебя видеть! Помолодела, похорошела, такая неотразимая дама. — Он повернулся к Матвею: — Привет, старина! Как дела?

— Порядок, — ответил Матвей и тут же засуетился: — Мне надо склад обойти, там у меня в будке сука ощенилась, пойду ее покормлю.

Он взял миску с косточками и вышел, оставил нас одних.

«Это ты прибила того парня, больше некому».

Я так боялась услышать эти слова, что вся сжалась, напряглась.

— А я искал тебя. — Жора присел напротив и не сводил с меня глаз. — Матвей молчал, как партизан, ни слова о тебе не сказал.

— Да что говорить? Работаю в одной семье, готовлю, убираю. Дело привычное.

— А насчет гостиницы моей у вас был разговор?

— Было дело, да.

— Пойдешь? Деньгами не обижу. Ты мне нужна позарез, понимаешь? Лучше тебя директора все равно не найду.

— Директора? Разве тебе не кухарка нужна?

— Ты хороший организатор, Александра. Разбираешься в людях, умеешь вести хозяйство, ответственная, работящая...

Я слушала и горько усмехалась про себя. Ага, вот такая я хорошая, что от меня родная дочь сбежала.

Наверное, я задумалась и очнулась, только когда поняла, что Жора осторожно обнимает меня — прижимает к себе одной рукой и смотрит так, как если бы я готовилась его укусить.

— Ты что, Жорик?

Я вдруг с грустью поняла, что все женские чувства во мне умерли. Надо же — мужчина обнимает, а я ничего не чувствую.

Он смутился, отпрянул, вернулся на свое место. Налил себе и мне вина.

Солнце заглянуло в сторожку и словно осветило не только все вокруг, но и мою собственную душу. Все мои страхи неожиданно показались мне не такими уж серьезными. Оля взрослая, сама разберется со своей жизнью. Пускай даже она забеременела — я ей всегда помогу. Работы в Москве много, не пропаду. Да и квартиру снять не проблема. Главное — здоровье. Что ж, сил у меня еще много.

Я сидела на продавленном диванчике Матвея. В комнате было очень тихо, только старый будильник на подоконнике отсчитывал секунды. Неужели начался отсчет первых минут моей новой жизни?

— Иди сюда. — Я набралась храбрости и похлопала ладонью по диванчику. Жора вскочил, опустился рядом. — Поцелуй меня.

И я закрыла глаза.

Валентина

Не иначе, сам Создатель решил, что в моей жизни должны наступить перемены, и отсек прошлое от настоящего, высветив путь будущего.

Мы с Сережей запланировали свадьбу на сентябрь, а сами тихо, без огласки зарегистрировали брак. До торжественного момента оставалось довольно много времени. Мне показалось, что это лучший момент, чтобы съездить в Р. Очень хотелось спокойно, без спешки заняться следами настоящего саркофага, а еще я мечтала отыскать свидетелей, которые помнят, как была найдена настоящая Тисульская принцесса. Да, я по-прежнему не оставляла работу над книгой. И еще нужно было попытаться спасти ту самую спившуюся Марину.

Конечно, это второе путешествие оказалось просто восхитительным. Во-первых, сейчас я была с человеком, который любил меня, да и я с каждым днем привязывалась к нему все больше. Во-вторых, меня больше не тревожила нехватка средств, и я могла спокойно зайти в дорогой Кирин отель и не считать каждый рубль в ресторане у Андрея. Самое же главное, пожалуй, в том, что на этот раз я не чувствовала себя ответственной за Олю, которую втянула в это путешествие и за которую боялась.

Было у меня еще одно дело — я хотела встретиться с Иваном и поговорить с ним об Оле. Безусловно, у меня нет никакого права вмешиваться в их отношения, но ведь это я привезла ее сюда, можно сказать, я их познакомила. Так что если он просто решил развлечься с ней от скуки, у меня хотя бы будет возможность сказать ему в лицо, что я об этом думаю. А еще, может быть, стоит расклеить в Кемерове объявления на столбах с портретом этого искателя с описанием его «подвигов». Пусть этот финт и не разрушит его карьеру, но на репутации точно скажется. Вот такой у меня был скромный план мести.

Надо было видеть Кирино лицо в тот момент, когда мы с Сережей вошли в холл. Дар видеть сквозь стены или просто чувствовать приближающихся гостей ей не изменил — она, как всегда, встречала нас за стойкой администратора. В глазах застыло удивление: как? откуда?

— Здравствуйте, Кира, — улыбнулась я. — Нам бы номер.

— Счастлива вас видеть! — просияла она. Видимо, Сергей произвел впечатление, потому что она тут же выпалила: — Могу предложить номер люкс.

Сергей посмотрел на меня, как бы спрашивая, хочу ли я этого, но я только пожала плечами.

— Нам бы тот номер, в котором мы останавливались. Кира, а Савва уехал?

— Савва?

— Забыла тогда сказать: Савва — мой зять, муж моей сестры Ани.

Кира села на стул от неожиданности. Похоже, я в самом деле ее удивила.

— Что же вы раньше не сказали? Он уехал!

Мы даже отдохнуть с дороги толком не успели — переоделись и сразу к Анисимовичу.

Он встретил нас так, как будто видит меня впервые. Ни о какой принцессе не слышал, знать меня не знает. «Оставьте вы меня уже в покое!» — прошипел он со злостью.

Я обошла все комнаты большого дома — ни следа Марины.

— Ты куда ее дел, а? — набросилась я на старика. — Что вы с ней сделали? Она умерла?

Сергей отвел меня в сторону и сказал, что заметил на кухонном столе банку с остатками черной икры, а в мусорном ведре — еще одну пустую банку.

Страшная догадка озарила меня. Оставаться в этом доме было невозможно: я явственно чувствовала запах смерти.

Мы выбрались на улицу и сели на трухлявую скамейку под елью. Нужно было собраться с духом, чтобы высказать мое предположение.

— Сережа, думаю, что Савва ее убил.

— Это серьезное обвинение, — нахмурился он. — Я бы на твоем месте не торопился с такими выводами.

— Но у нас с Аней был о ней разговор. Я спросила, что будет, если Марина умрет, и она с какой-то чудовищной легкостью, словно она не моя сестра, не моя кровь, сказала то самое, что говорят все циники и убийцы: «Нет человека — нет проблемы».

— Она могла так сказать, но не сделать. Это не одно и то же.

— Мне страшно. Здесь повсюду веет опасностью. Савва, что я знаю о Савве? Ровным счетом ничего! Зато я знаю, что он был здесь, в этом доме, что торговался с Анисимовичем и пытался заткнуть рот Марине. Да, пока была жива, она представляла для них опасность. И вот он уезжает, а Марина исчезает. Хорошо, предположим, она просто уехала. Но тогда старик так и сказал бы: «Уехала!»

— Интересно, как он может такое сказать, если сам недавно выдавал ее за одну из тисульских принцесс? Понимаю, ты злишься на сестру из-за всей этой аферы, но не торопись делать из нее законченную преступницу.

Он успокаивал меня, а я нервничала все больше.

Само собой, я должна была показать ему труп Ирины. Мы отправились в пещеру.

На наше счастье, до сих пор никто так и не взял на себя труд завалить вход камнями. На площадке перед спуском мы включили фонари и ступили в темноту и жуть.

Запаха чеснока уже не было. Пахло землей и какой-то химией.

— Это формалин. — Сергей сам ответил на мой незаданный вопрос. — Надо же, как вас сюда занесло?

Лучи фонарей золотыми полосами резали темноту. Когда сверкнуло стекло и белый камень саркофага заискрился, даже мой невозмутимый спутник не выдержал и присвистнул от удивления.

Мы стояли над саркофагом с утопленным в формалине телом Ирины.

— Уверен, что это был несчастный случай, — решительно начал Сергей. — Другое дело, что твоя сестра с мужем должны были похоронить ее.

— Знаешь, мне неприятно об этом говорить, но не исключаю, что они и дальше хотели водить сюда туристов. Просто собирались выждать время, чтобы эта история немного забылась.

— Или испугались, что в этой смерти обвинят их, и уехали.

Даже не знаю, какой из этих мотивов отвратительнее.

— Что же теперь делать?

— Надо бы ее похоронить. Но если нас застанут здесь с лопатами, нам тоже не избежать неприятностей. Можно все решить иначе. Давай для начала ты познакомишь меня с Федором. Поговорим с ним, пообещаем хорошо заплатить за то, чтобы достал оттуда тело и похоронил где-нибудь здесь, на этой земле. Я так понял, что это собственность твоей сестры?

— Да, она выкупила землю из-за пещеры. Ты действительно сможешь это все устроить?

— Почему нет? Кстати, думаю, твоя сестра приняла бы такой выход.

— Не хочу даже слышать о ней!

— Валя, она твоя сестра. Вот увидишь, пройдет какое-то время, и твой гнев утихнет. В вашем с ней разговоре, вообще во всем, что случилось между вами в Питере, ты не оценила главное — ее заботу. Думаешь, этот царский жест, этот подарок, который она тебе преподнесла, не заслуживает благодарности? Ты понимаешь, что я говорю о квартире. Дорогая моя, да ты просто не знаешь, на что способны иные родственники ради такой вот квартиры! А твоя сестра отказалась от нее ради тебя. Да, я готов поверить, что она сильно изменилась, как изменились и Оля с Александрой. Их тоже трудно понять и простить. Но, знаешь, я уверен, не доведись им добывать кусок хлеба так тяжело, они ничего подобного не совершили бы. Нужно пройти через испытания, чтобы их понять.

— Но какие испытания были у моей сестры?

— Она, как и ты, осталась одна, и ей пришлось приложить много сил, даже переступить через себя, чтобы найти способ заработать. Вспомни, ты сама говорила, как часто ей приходилось рисковать. Кстати говоря, часть того, что зарабатывала, она регулярно отправляла тебе. И тебя саму она отправила в Москву, чтобы тебя не коснулось то, что ей приходится переживать. Она оберегала тебя, Валя. Тебе не в чем ее упрекнуть.

Внезапно откуда-то сверху донесся гул. Он нарастал все время, пока мы смотрели на небо, хотя над нашими головами по-прежнему не было ни облачка, только светящаяся нежно-голубая ширь.

Сергей схватил меня за руку и потянул за ель.

— Ты куда?

— Нас не должны здесь увидеть! — крикнул он. Гул стал таким громким, что я едва расслышала. Мы бросились в кусты под елками, и тотчас над пещерой появился вертолет, дальше еще один. Они покружили немного, двинулись в сторону ущелья и пропали из поля зрения.

— Что это? Зачем они здесь? — От страха я прижалась к Сергею. — Неужели нас увидели? Выходит, я и тебя втравила в эту историю!

— Успокойся, Валюша, никто нас не видел. У них другая цель. Пойдем, да не бойся ты! Мы же, можно сказать, на своей земле, на земле твоей сестры. Просто гуляем. Кому какое дело до нас?

Мы двинулись в сторону ущелья, подошли почти к самому краю обрыва, и нашим глазам предстало удивительное зрелище. Глубоко, на самом дне, был разбит настоящий палаточный городок. Оранжевые и желтые экскаваторы, гигантские краны, тяжелые машины, бульдозеры, тракторы, теперь еще и вертолеты. Люди сновали туда-сюда, как гномы. Дальше, за массивом леса, был вырыт гигантский котлован, там тоже работала техника.

— Выходит, нашли серебро, — предположила я. — Или золото?

— Говорю же, им не до нас. У них своя работа.

Дом Федора я нашла довольно быстро. Увидев за калиткой Сергея, он насторожился.

— Разговор есть. — Я пыталась смотреть ему в глаза, чтобы он перестал нас бояться. — Ничего такого, просто предлагаем тебе немного заработать.

Сказать, что мне было стыдно, что мы с Олей так легко дали себя обмануть, — это ничего не сказать. Наивные дурочки, что поделаешь. Сейчас, когда обман раскрылся, даже дышать стало легче. Кстати, и говорить с Федором тоже.

Он все понял и согласился похоронить тело Ирины. Сергей дал ему небольшой задаток и попросил на эту тему не распространяться. Кто-кто, но я не сомневалась, что у него и без предупреждения не было резонов болтать.

Мы вернулись в гостиницу, переоделись и спустились в ресторан.

— Смотри! — Я кивнула на микроавтобус, припаркованный у служебного входа. Через стеклянную стену его было отлично видно с нашего места. Какие-то люди выносили из кухни большие термосы и ящики и грузили в автобус.

— Думаю, это повезут в ущелье рабочим, — сказал Сергей. — Да, неплохо все организовано. И они действительно что-то нашли. Вдруг золото?

Мы были единственными посетителями.

— Здесь работает Андрей, сейчас он подойдет, — сказала я.

В эту минуту быстрым шагом вошла Кира.

— Вам придется подождать минут пять. — Она виновато глянула на нас. — Отправим автобус, и Андрей вас обслужит. Я пока могу принять заказ.

Она положила перед нами меню и удалилась, покачивая бедрами и явно стараясь произвести впечатление на Сергея.

Андрей подлетел с блокнотом и просиял, увидев меня.

— Так понравилось у нас? — Он еле удержался, чтобы не подмигнуть мне.

— Не то слово! А что это там за работа у вас кипит? Там, в ущелье?

— Геологи что-то копают. — Он весело переминался с ноги на ногу, точно жеребенок, которому не терпится пуститься вскачь. — Сами видите, снова оживление, как в прошлом году. Михаил Семенович сказал, на следующей неделе приедет комиссия из Москвы, будем их кормить. Кира, понятно, радуется наплыву гостей.

— Так что нашли-то? Серебро?

— Какую-то руду. Может, уран? Не знаю, но что-то серьезное, иначе откуда такой ажиотаж. На понедельник забронировано десять номеров для японцев. Кира уже заказала новое постельное белье, живые цветы, дала объявление — ищет горничных. Да, она-то точно не прогадала, когда решила строить этот отель.

— Если и дальше так пойдет, может, и мне вложиться? — не выдержал Сергей.

— Почему бы и нет? Выбрали?

Меню было невероятным. Ясно, что готовили не здесь, наверняка в каком-нибудь кемеровском ресторане.

— Что посоветуете?

— Форель, блинчики с апельсинами. — Андрей улыбался так, как будто нас с ним связывала какая-то тайна. — А где ваша подруга?

Ах вот оно что!

— Моя подруга на месте. А вот где ваш клиент, как его там? Искатель Иван!

— Михаил Семенович? Работает, где же ему быть. В ущелье с утра до ночи.

Он что-то еще говорил, но я уже не слышала. Оглушенная собственной догадкой, я снова и снова вызывала в памяти голос сестрицы: «Он генерал, служит в секретном подразделении ФСБ. Погугли, сама все поймешь. Ты же не думаешь, что в такой стране, как Россия, никому нет дела до паранормальных явлений? Фамилия? Она ни о чем тебе не скажет. Минкин. Михаил Семенович Минкин».

— Сережа, я сейчас.

Я выбежала из ресторана. За стойкой на этот раз никого не было. Я глубоко вдохнула и открыла журнал регистрации. Фамилию Минкина нашла без труда: новые записи в последние месяцы появлялись не слишком часто.

Михаил Семенович Минкин. Просто невероятно.

Конечно, после разговора с Аней я с головой провалилась в гугл и прочла, кажется, все об НЛО, особенно те страницы, где хотя бы раз упоминались секретные подразделения.

«В СССР существовала сильная система спецслужб, включавшая в том числе отделы, которые занимались изучением паранормальных явлений и развитием экстрасенсорики. В ФСБ до сих пор действует научное подразделение, в ведении которого изучение сна, уникальных способностей психики и многое другое...»

Ладно, пускай он генерал из той самой службы и занимается здесь какими-то исследованиями, понятное дело, секретными. Но что же будет с Олей? Получается, он ее бросил?

Я вернулась за столик и рассказала Сергею о Минкине.

— Все, теперь назад дороги нет. Ты точно напишешь свой роман! — улыбнулся он. — Думаю, нам крупно повезло, что ты с ним знакома.

— Ты просто не знаешь его. Весьма скользкий тип.

— Правильно, так и должно быть. Человек на своем месте — знает, что можно говорить, а что нет. Просто так генеральские погоны не дают.

— Мне обязательно нужно с ним поговорить.

— Вот вернется с раскопа, и поговоришь.

После сытного обеда мы поднялись к себе, легли. Признаюсь честно, мне уже и хотелось, чтобы Караваев прилег рядом и обнял меня, но разве я могла об этом заикнуться? Он сам пообещал мне «не форсировать события» — тогда, в ресторане, где мы праздновали нашу помолвку и я попросила дать мне время разобраться в своих чувствах. Вот и сейчас он улегся на диванчике, накрылся пледом и задремал. Мое замужество в самом деле оставалось только на бумаге.

Нас разбудил звонок Федора. Он отчитался, что работа сделана. Что ж, пора было идти в деревню за цветами. Конечно, никто из местных жителей цветы не продавал, зато все давали просто так понемногу. В конце улицы у меня уже был пышный букет из бархоток, календулы, турецкой гвоздики и роз. Любопытным, интересовавшимся, что за событие и зачем цветы, мы отвечали, что собираемся на день рождения.

По дороге к могиле Ирины, которую Федор вырыл недалеко от пещеры, под елями, мы набрали еще букет красивейшей купальницы. На закатном солнце он полыхал оранжевым пламенем.

Федор ждал нас у пещеры и проводил к свежему холмику, заваленному валежником. Мы украсили Иринину могилу цветами.

Что ж, кажется, самое время теперь увидеть, что стало с пещерой. Как и было договорено, Федор задвинул саркофаг в глубь пещеры, в самую темень. Место, где он прежде стоял, было чисто выметено, генератор и прочее техническое оборудование аттракциона накрыто чехлами. По-прежнему пахло формалином, правда, теперь уже намного слабее. Под ногами я увидела чесночную шелуху.

Сергей заплатил Федору, и тот припустил на велосипеде в поселок. А мы решили не торопиться и снова прошли к краю обрыва. Сейчас людей не было видно, должно быть, все спрятались в палатках. В некоторых из них включили электричество. Слышалась музыка — люди отдыхали.

Я добралась до гостиницы чуть живая, до того устала.

Стемнело, когда мы спустились в ресторан. Еще на лестнице меня смутило, что из зала тоже доносилась музыка. Неужели и ресторан уже ожил?

Что и говорить, зал был полон. За столиками сидели одни мужчины. Надо же, совсем как тогда, когда мы с Олей впервые разговорились с Иваном.

— Мужское царство, — рассмеялся Сергей. — Чувствую, здесь что-то затевается.

Мы заняли свободный стол в самом углу. Ждать, пока Андрей подойдет, пришлось довольно долго.

У него было виноватое лицо:

— Сами видите, что творится, а я один!

— Так что же не наймете официанток?

— Уже! — радостно сообщил он. — Завтра приедут три девушки из Кемерова. Симпатичные, были здесь позавчера на собеседовании. Вот, выбирайте.

Он разложил меню.

Я выбрала морепродукты, салат и торт. Сергей заказал то же самое.

Ивана я заметила сразу. Он сидел с каким-то человеком, который что-то горячо ему доказывал. Легкие серые брюки, белая футболка. Судя по выражению их лиц, разговор был серьезным. Я решила набраться терпения и подождать, пока Минкин останется один.

Наконец этот момент настал, и я медленно двинулась между столиками к нему.

— Привет, Иван-искатель.

Он молча разглядывал меня. Генерал секретной службы явно не рассчитывал увидеть меня здесь сегодня. Может, решил, что раз я здесь, то и Оля где-то рядом?

— Ты как здесь? — начал он по-свойски, без вступления.

— Дела, — коротко ответила я. — Вы, я вижу, тоже не бездельничаете.

— Да уж, работы хватает.

— Не хотите рассказать, что же вы здесь такое нашли, что на это едут взглянуть со всего света?

— Сам не пойму, к чему такой ажиотаж, — пожал плечами Минкин.

— Вообще-то я приехала по вашу душу. — Я прищурилась и сделала страшные глаза, но все равно чувствовала, что слабо справляюсь с взятой на себя ролью.

— В такую даль? Очень интересно! — Он попытался улыбаться, но у него тоже ничего не вышло.

— И вы не хотите ничего спросить об Оле?

— А что с ней?

— Поиграли, значит, и бросили?

— Погодите, Валентина. Итак, вы приехали специально ради этого разговора? — Он расхохотался. — Не сомневайтесь, с Олей все в порядке.

— Откуда вам это знать? Вы же здесь, а она там.

— У меня служба, работа. А вы, полагаю, приехали все-таки ради другого. Вы ведь пишете книгу, а, Валентина? Оля рассказывала, не краснейте. И книга, как я понял, обещает быть интересной.

Он смеялся мне в лицо.

— Думаете, я не знаю, кто вы? Вы... вы генерал! И все знаете о Тисульской принцессе — настоящей, а не той, которую здесь выставили на обозрение в прошлом году!

— Вижу, вам удалось собрать некоторый материал. Я рад.

— Нет, серьезно, что у вас с Олей? Я ведь переживаю.

— Переживаете? Полагаю, если бы вас действительно волновала ее судьба, вы не исчезли бы так стремительно из ее жизни. А вы даже не захотели ее выслушать.

Сейчас он говорил со мной тоном наставника, начальника, если угодно.

— Она все вам рассказала?

— Разумеется. Между прочим, она переживает, плачет.

— Вы общаетесь по скайпу?

— Да какая разница, как? — Его взгляд стал ледяным. — Оля — нежное создание и очень верное.

Вы причинили ей боль. Не знаю, сколько времени понадобится, чтобы она сумела все забыть.

— Думаете, я не переживаю?

Наш разговор потек по другому руслу. Теперь мы говорили об Оле, о том, что между нами произошло, и о том, как это исправить. В какой-то момент я решила, что не стоит разыгрывать наивную дурочку, и призналась, что действительно приехала в Р. собирать материал о Тисульской принцессе — разумеется, настоящей.

— Да вы опоздали, Валечка. Все это было давно и неправда...

Я подозвала Сергея, познакомила их с Михаилом Семеновичем. Мы заказали водки и стали пить уже за нашу предстоящую свадьбу, на которую, само собой, пригласили и генерала. Уже перед тем, как разойтись по номерам, Минкин попросил меня об одном одолжении. Он вышел и вернулся с сафьяновой коробочкой. Сказал, что купил Оле кольцо, но увидит ее, наверное, не скоро, поэтому просит меня передать его ей.

— Вы ведь не бросите ее? Не бросите? — спрашивала я заплетающимся языком. Сергей поддерживал меня, не давал упасть. — Я все-все о вас знаю. Вы генерал Минкин, и вы единственный в курсе, где настоящая принцесса! Мне очень нужен материал — правдивый, а не та бодяга, которой приманивают туристов!..

— Спокойной ночи, — мягко улыбнулся генерал, и мы с Сергеем удалились к себе.

Я проснулась от стука в дверь. В спальне было темно, я лежала в кровати одна — значит, Сережа снова спал в большой комнате на диване. Стук в дверь повторился, но теперь я слышала еще и доносящийся из открытого окна шум, непонятный и тревожный. Мне стало страшно: я вдруг сообразила, что это может быть. Любой бы сообразил — достаточно мы насмотрелись фильмов о катастрофах, ураганах и землетрясениях.

Землетрясение! Точно, именно так все и начинается. Земля издает нарастающий гул, стонет, предчувствуя будущие раны, изломы, трещины. Срочно куда-то бежать, прятаться! Наверняка и в дверь нам стучат, чтобы предупредить об опасности. Это Кира?

Я вскочила, начала одеваться. Слышно было, что и Сережа проснулся и подошел к двери. Я уже была рядом. В светлом дверном проеме показался генерал Минкин. Лицо его было бледным и каким-то неестественно застывшим, как маска.

— Все, что я сейчас делаю, — только ради твоей сестры, — отрывисто бросил он, и мне стало еще страшнее, даже ноги подкосились. Что он собирается сделать? — Быстро одевайтесь, поедем. Повторяю, все ради Ани. Само собой, нигде ни словом обо мне — это понятно, да?

— Что происходит? — Теперь встревожился и Сергей.

— Вы должны это увидеть. Быстро спускайтесь, жду вас внизу.

Через пару минут мы были в холле, как ни странно, единственные. Выходит, вся команда геологов уже покинула гостиницу. Часы показывали четыре утра.

Мы вышли. Теперь я решительно отказывалась верить своим глазам. И как поверить, если деревня нежданно-негаданно готовилась превратиться в театр военных действий? Над нашими головами кружили вертолеты, по дороге двигались, громыхая тяжелыми колесами и гусеницами, огромные военные машины. Земля под ногами содрогалась, казалось, что наступил конец света. Местные жители высыпали на улицу, но их от проходящей колонны отрезали военные. Люди волновались. Здесь и там раздавались крики. Дети плакали.

Странный парад направлялся в сторону леса. С крыльца гостиницы нам было видно, как колонна, мерцая огнями, движется к ущелью.

— Может, там приземлился инопланетный корабль? — прошептал Сергей, как и я, потрясенный увиденным.

Наконец к крыльцу подъехал мощный темный джип. За рулем сидел Минкин. Он сделал нам знак, чтобы мы садились. Через минуту мы поехали за какой-то гигантской платформой с краном.

Задавать вопросы не имело смысла — генерал молчал, но я все-таки продолжала задавать. Мы ехали не той дорогой, по которой еще недавно шли к пещере, а широкой объездной. Миновав лес, джип стал плавно спускаться в ущелье.

Мощные прожекторы освещали дно. Сейчас наша колонна, спускающаяся в глубь котлована, напоминала громыхающую гигантскую гусеницу. Над площадкой кружили вертолеты. Некоторые уже спустились, и оттуда, как черные горошины, выкатывались люди в темных костюмах.

Мы уже были внизу, лавировали между палатками, машинами, кранами. Мощные фары высвечивали неровную узкую дорогу, ведущую на самое дно, прямо в котлован.

В эту секунду я увидела человека с камерой. Как почти все здесь, он был в военной форме. Сейчас он поднялся на бронетранспортер и нацелил камеру туда, куда устремились люди из машин и палаток. Стало очень тихо, даже последний вертолет в небе, казалось, замер.

— Выходим, — тихо приказал Минкин, достал носовой платок и промокнул лоб. — И тихо, договорились? Никаких вопросов и разговоров.

Мы втроем подошли к краю вырезанного в камне углубления и заглянули дальше, за край. Мне пришлось зажать рот, чтобы не закричать — от восторга, от страха, от удивления. Перед нами медленно плыл белый саркофаг. Четыре мощных крана тянули его за металлические скобы-крючья, к которым были прикреплены толстые цепи.

Зрелище потрясло всех. Сотни людей наблюдали за тем, как ценный груз извлекают из каменной ниши, выдолбленной самой природой.

Несколько человек в белоснежных комбинезонах и масках помогли опустить саркофаг на длинную платформу на колесах. Раздался треск прогибаемого под тяжестью металла. Одно колесо под платформой лопнуло. Звук оказался неожиданно громким, как выстрел, и все, кто находился рядом, разом вздрогнули, как будто их ударило током.

— Осторожнее! — взмолилась одна из фигур в белом — мне показалось, что это женщина.

К ней подошли люди со специальными инструментами. Еще какое-то время понадобилось, чтобы открыть саркофаг.

Все вокруг пропахло бензином и гарью. И вдруг этот аромат прорезал сильнейший чесночный запах. В толпе произошло движение, все разом заговорили, зашумели. Воздух звенел от напряжения сотен участников этого таинства.

Минкин подтолкнул меня почти к самой платформе, и я увидела, как тяжелая крышка толстостенного саркофага наконец сдвинулась. По белым стенам заструилась рыжеватая жидкость. Люди в белом замерли. Минкин взял меня за руку и помог забраться на платформу.

То, что увидела в этом древнем гробу, я не забуду никогда. По периметру саркофага в свете прожекторов поблескивал слой рыжеватого сырого вещества. Пожалуй, я назвала бы его клеем. Именно он, как я поняла, обеспечивал герметичность.

Внутри самого саркофага в прозрачной сиреневой жидкости, напоминающей сильно разбавленный раствор марганцовки, лежала женщина. При жизни она, конечно, была удивительно высокой и стройной. Ее белое платье казалось розоватым из-за раствора. Светлые локоны обрамляли тонкое бледное лицо. Черты лица делали ее похожей на европейку. Уши и шея были увиты украшениями, которые трудно назвать золотом или серебром. Какие-то гроздья, напоминающие фиолетовый виноград и отливающие металлом.

Мне стало дурно от запаха, и Сережа вернул меня на землю.

— Скажи, мне все это снится? — спросила я. — Ущипни меня, пожалуйста.

Военный оператор принялся за работу. Потом ему передали фотоаппарат, и он сделал еще, наверное, добрую сотню снимков.

— Если я расскажу кому-нибудь, мне не поверят, — зашептал Сергей мне на ухо. — Но если ты опишешь все это, пусть даже и назовешь роман фантастическим, люди все равно узнают, что она есть. Вернее, они есть, эти похороненные миллионы лет назад женщины.

— Если бы не Аня, мы этого никогда бы не увидели, — неожиданно для себя самой сказала я. — Сережа, это просто невероятно! Да, она есть. Они — есть! И о них не забыли, все эти люди, что работали здесь, искали их и нашли. Знаешь, мне до сих пор не верится, что один из главных людей здесь — тот самый, кто влюбился в мою Олю.

— Сейчас они закроют саркофаг, замаскируют его. Вон, видишь маскировочную ткань? Поднимут на вертолете, доставят в Кемерово, а оттуда, конечно, повезут в Москву.

— Ты сделал снимки? — очнулась я вдруг. — Сережа, ты успел хоть что-нибудь заснять?

— Успел. Но это ты была на платформе, а я видел только сам саркофаг и еще все вокруг.

Вернулся Минкин, и я горячо поблагодарила его за возможность участвовать в этом действе и прикоснуться к главной тисульской тайне.

— Ее увезут? И люди снова ее не увидят?

— На этот раз увидят, — улыбнулся он. — Сюда уже едут ученые из Японии, Англии, Израиля. Здесь будет работать международная лаборатория. Руководство решило, что мы не можем повторить ту же ошибку. Не нужно транспортировать саркофаг, поскольку самое ценное здесь, пожалуй, сам консерватор.

Он поручил нас одному из подчиненных, и на военном джипе, уже без него, мы вернулись в гостиницу.

Рассвело. Деревня опустела, гостиница тоже казалась пустой. Было очень тихо.

Мы поднялись в номер, я разделась, легла. Сергей, потрясенный, задумчивый, к моему удивлению, лег рядом и обнял меня так, как будто мы давным-давно женаты и он ложится со мной в постель каждый день.

— Думаю, теперь тебе пора меня ущипнуть. — Он поцеловал меня в плечо. — Надо же, такое увидеть! Конечно, ты должна написать роман. Ты уже придумала, под какой фамилией издашь книгу?

— Шутишь? Думаешь, мне сейчас до псевдонимов? Надо придумать сюжет, составить план романа, а для начала хотя бы записать все, что мы увидели сегодня. А псевдоним... Вот, пожалуйста, первое, что пришло в голову: Дина Ю.

— Дина Ю., Дина Ю., ДИНАЮДИНА... Юдина! Что ж, неплохо. — И он еще крепче обнял меня.

Вернувшись в Москву, я первым делом разыскала фабрику, где работала Оля. Сергей посоветовал не планировать разговор, все равно это не имеет смысла. Жизнь, так он сказал, сама подскажет нужные слова. Важно только быть искренней, и все сложится наилучшим образом.

С собой я везла подарок от Минкина. Понятно, теперь он не скоро сможет вырваться из Р., но сомнений, что у них все серьезно, больше не было. Зачем бы иначе ему покупать ей кольцо и вдобавок отправлять его со мной? Мог бы просто перелистнуть страницу и забыть ее насовсем.

Но если все серьезно, размышляла я, глядя из окна такси на проплывающие подмосковные дачи, почему она до сих пор работает на фабрике?

Кое-что об Оле я знала благодаря Сергею. Перед уходом Александры у них был долгий душевный разговор — до того искренний, что она поделилась своими переживаниями об Оле.

— Думаю, — это ее собственные слова, — я сама виновата. Настроила девочку против мужчин, убедила, что им нельзя верить. А ведь он, Михаил этот, оказывается, ей предложение сделал, а она, дурочка, чего-то испугалась. Он и денег ей дал, и объяснил, что сильно занят, у него сейчас важная работа. Попросил спокойно дожидаться в Москве. А она, видишь, снова вернулась на фабрику, строчит свои полотенца...

Конечно, я не могла не спросить Сергея, как они расстались, и он признался, что ему было тяжело. Александра ведь в самом деле помогла ему подняться на ноги и просто многое для него сделала. Хотя он и не сомневался, что после всего, что произошло, такой человек, как она, просто не смог бы остаться. Он хорошо ей заплатил, поблагодарил за все. Оказывается, она уже подыскала себе работу — стала директором в привокзальной гостинице. Кажется, за Александру можно больше не волноваться.

Олю пришлось довольно долго ждать на проходной. Но вот она выбежала, мы бросились друг к другу и обнялись.

— Как же я соскучилась! — Я с нежностью разглядывала ее. — Мне кажется, я не видела тебя сто лет.

— А я — двести! — Она смеялась и плакала одновременно. — Значит, ты меня простила?

— Да это я должна просить у тебя прощения.

Мы отошли в сторону, присели на скамейку. Я достала коробочку с кольцом.

— Это от одного нашего общего знакомого, — сказала я, чувствуя, что и сама волнуюсь.

— От Караваева? — Она отпрянула.

Конечно, разве ей могло прийти в голову, что я только что вернулась из Р.?

— От Михаила Семеновича Минкина.

— От Миши? Но как? Он что, был в Москве?

— Нет, это я туда ездила.

Оля была совершенно сбита с толку.

— Ничего не понимаю. Что ты там делала?

— Хотела забрать Марину.

Я еле сдержалась, чтобы не рассказать все-все, что произошло с нами там, в Р. Вот бы она удивилась!

— Ты ездила за Мариной?

Пришлось в подробностях рассказать ей о сестрах-близнецах, которых Аня использовала для своей реконструкции.

Пока я говорила, Оля успела написать короткую эсэмэску.

— Словом, нас с тобой развели тогда, как глупых девчонок. Но мы похоронили Ирину, и теперь хотя бы у нее есть могила — настоящая, человеческая.

Стоило мне договорить, как со стороны главного входа вышла девушка в синем форменном халате. Оглянулась, заметила нас и двинулась в нашу сторону быстрым шагом.

Перед самой скамейкой она застыла в нерешительности.

— Садись, Марина, не бойся, — подбодрила ее Оля. — Все в порядке.

— Здравствуйте. — Девушка протянула мне руку. — Не ожидала вас здесь встретить.

Кто был по-настоящему потрясен, так это я. Та самая Марина! Ее рассказ был коротким и удивительным. Своим спасением она оказалась обязана — кто бы мог подумать — все тому же Минкину.

— Это я попросила его, — призналась Оля. — Не надеялась, правда, что он поможет. А он взял ее за шкирку, тряханул как следует, посадил в самолет и отправил сюда, в Москву. Я ее встретила, привезла к Кате. Ты ее не знаешь, может, когда-нибудь познакомлю. Вот, а потом я устроила ее на фабрику. Правда, Марина работает пока уборщицей, но это временно. Мы решили, что так будет лучше, чтобы она всегда была на глазах, понимаешь? Чтобы в рот ни капли. Главное, что она оторвалась от этого старика. Миша дал денег, сказал, чтобы я устроила ее в клинику. Я уже ездила туда, обо всем договорилась. В понедельник поедем вдвоем.

Получается, то, что не удалось Савве, удалось Минкину. Браво!

Марина ушла. Оля в порыве чувств рассказала о своем романе с Минкиным — сделал предложение, а сам исчез, не звонит, не пишет.

— Может, у него кто-то есть? Может, он женат? Ты что-то знаешь?

Соблазн был слишком велик.

— Оля, он просто очень занят. Обещай, что все, о чем я сейчас скажу, ты никому, слышишь, никому не расскажешь!

— Обещаю. Никому и никогда.

— Ты же помнишь то ущелье?

Я уже не могла остановиться.

Где-то через год после этих событий в издательстве мне передали письмо. Продюсер кинокомпании Ober-Twist Валерий Гринев предлагал продать права на книгу «Смерть оживающая» и приглашал меня для беседы в ресторан «Пушкинъ» в субботу в семь вечера. «Госпожа Дина Ю., — говорилось в его послании. — Условия нашего предложения вас приятно удивят. В случае, если вы сами пожелаете написать сценарий фильма на основе вашего романа, мы с радостью рассмотрим этот вариант сотрудничества».

Первым делом я провалилась в интернет в поисках информации об этой кинокомпании. Увы, Валериев Гриневых было много, но ни один из них не значился продюсером.

Я еще раздумывала, пойти или нет. Мой живот к тому времени достиг внушительных размеров (мы с Сережей ждали дочку), так что я с каждым днем становилась все ленивее. Пока я думала, позвонила Оля. Она готовилась к свадьбе, а потому была в курсе всех новинок свадебной индустрии.

— Мне кажется, тебя это заинтересует, — лукаво начала она. — Лови ссылку: свадебный салон на Моховой.

Я открыла сайт салона, бросила взгляд на первые строки рекламного объявления и, конечно, не могла не оценить Олину прозорливость.

«Сенсация! У посетителей свадебного салона «Savanna» есть уникальная возможность увидеть привезенный из Мексики знаменитый манекен La Pascualita».

Дальше меня отправляют на другой сайт, от которого я уже не могла оторваться.

«Если вы когда-нибудь попадете в Мексику, посетите городок Чиуауа. В центре на углу улиц Осатро и Victoria здесь находится салон свадебных платьев «La casa de Pascualita», — читала я. — *Что в нем такого особенного? Ничего, за исключением удивительного манекена в витрине и загадочной легенды, с ним связанной. Манекен зовут La Pascualita, и живет он в витрине уже более восьми десятков лет.*

Легенда гласит, что он появился здесь 25 марта 1930 года. Эта искусно выполненная кукла очаровыва-

ет пешеходов. Тысячи людей не в силах оторвать от нее глаза. Вскоре после появления загадочного манекена по городу пошли слухи, что красавица в витрине уж очень напоминает самого владельца магазина Паскуаля Эспарса. Не так много времени потребовалось, чтобы догадаться, что это забальзамированное тело дочери Эспарса, не так давно умершей в день свадьбы от укуса скорпиона (по другим данным, ядовитого паука). Скажем прямо, эта догадка не обрадовала местных жителей, уже начавших выражать неодобрение владельцу магазина. К тому времени, когда Паскуаль Эспарс выпустил официальное заявление с опровержением слухов, было уже слишком поздно. Владельцу салона никто не поверил. Довольно быстро имя девушки забылось, и манекен стали называть Ла Паскуалита.

Охочие до россказней зеваки и сейчас распространяют жуткие слухи — дескать, глаза Паскуалиты способны двигаться, и она смотрит на вас, в какой бы точке в поле ее зрения вы ни находились. Поговаривают еще, что по ночам она способна передвигаться, а кроме того, плачет настоящими слезами в определенное время года. Продавцы с содроганием переодевают ее в новое платье каждые две недели за закрытыми шторами...»

Не знаю, как другие, но я сразу все поняла. Единственный человек на свете, имеющий вкус к подобного рода аттракционам, мог додуматься привезти эту куклу в Москву. Кстати, не факт, что кукла действительно из Мексики. Может, я еще сомневалась бы, что это Аниных рук дело, но название свадебного салона убедило меня окончательно. «Savanna» — Савва плюс Анна.

Я перезвонила Оле, попросила приехать в салон и составить мне компанию, вызвала своего водителя. Пока он добирался, я переоделась, причесалась. Перед самым выходом я положила в сумку несколько своих книг.

Возле высокого крыльца салона на Моховой толпился народ. Сцена мне знакома: Невский, салон проката старинных платьев, забальзамированный труп графини Лопухиной... Любимая тема моей кровожадной сестрицы.

Подъехала Оля, и я помахала ей рукой — наша очередь на вход приближалась.

Салон как салон. Просторное помещение, по всему залу расставлены манекены, наряженные в свадебные платья. Никто ничего не покупает, все только рассматривают манекен La Pascualita — он в отдельной комнате под стеклянным колпаком.

Красавица, ничего не скажешь. Кукла прямо как живая — кожа настоящая, видна каждая прожилка.

— На ней маска, — прошептала Оля мне на ухо. — Смотри, а глаза живые, как будто смотрят на нас... Жуть!

В эту секунду манекен пошевелился.

— Ты видела?

Я вглядывалась в лицо куклы и понимала, что это лицо я уже видела. Причем близко, во всех подробностях!

— Оля? Мне кажется или?..

Оля подошла вплотную к стеклянной коробке, за которой стояла кукла, постучала тихонько пальцем.

— Тук-тук, Марина! Что, вернулась к своей хозяйке, как собачонка? — Теперь она смотрела на манекен с презрением. — Лучше, чем мыть полы на фабрике?

Манекен выставил вперед руку, затянутую кружевной перчаткой, и показал нам третий палец.

Мы вышли на свежий воздух.

— Ты видела сестру? — Оля повернулась ко мне.

— Конечно, видела. Все в тех же джинсах и белой блузке. Сидит, только успевает деньги считать.

Мне почему-то хотелось плакать.

— Она даже не заметила меня, смотрела только на деньги. Да если бы и подняла на меня глаза, не уверена, что узнала бы.

К крыльцу подошел высокий мужчина в голубых джинсах, телефон прилип к щеке. Савва?

— Я здесь, выходи. Сейчас подъедет Дима, сменит тебя.

— Поехали уже на встречу с этим продюсером! — не выдержала я. — Они мне чужие, совсем. Зачем только приехала!

— Наверное, чтобы убедиться, что салон действительно детище твоей сестры, — рассудительно сказала мудрая Оля.

В ресторан «Пушкинъ» мы приехали за час до назначенного времени. Я заказала пирожное и чай, Оля — ничего. Надо же, боится, что не влезет в свадебное платье — как-никак пятый месяц беременности.

Мы сидели, болтали. Оля обмолвилась, что результаты исследования тисульской покойницы хранятся в секрете и вряд ли станут достоянием общественности. Саркофаг все-таки перевезли, но куда — она понятия не имеет. Минкин через две недели возвращается в Москву, уже насовсем.

— Если бы не твоя бредовая идея отправиться в Р., я бы не встретила Мишу, — с улыбкой закончила она.

— Как сказала бы моя сестрица, это фарт.

Ровно в семь часов в зале появился высокий мужчина в голубых джинсах и черном пиджаке. Высмотрел меня, улыбнулся и стремительно направился в нашу сторону. Наверное, узнал меня по фотографии на обложке книги.

— Госпожа Дина Ю.? — Он улыбнулся широко, белозубо. — Меня зовут Валерий Гринев.

Мы с Олей переглянулись. С другой стороны зала к нам приближалась Аня. Те же джинсы, все та же белая блузка. Она подошла к нашему столику, прищурилась, словно хотела лучше рассмотреть автора нового бестселлера, и расхохоталась.

— Дина Ю., значит, да? — Она продолжала хохотать на весь зал, до слез. — Дина Ю.! А ведь я могла и раньше догадаться! Браво, Валя!

Я улыбнулась и подумала, что для такого случая моя сестра могла надеть что-нибудь более нарядное.

Оглавление

Литературно-художественное издание

ЭФФЕКТ МОТЫЛЬКА
Детективы Анны Даниловой

Данилова Анна Васильевна

СЛЕЗИНКА В ЯНТАРЕ

Ответственный редактор *Е. Рыбакова*
Младший редактор *П. Рукавишникова*
Художественный редактор *К. Гусарев*
Технический редактор *Г. Романова*
Компьютерная верстка *В. Андриановой*
Корректор *Е. Холявченко*

В оформлении переплета использованы фото:
Tatyaby, Laboko, Jjustas, tandemich, RomanR / Shutterstock.com
Используется по лицензии от Shutterstock.com

ООО «Издательство «Э»
123308, Москва, ул. Зорге, д. 1. Тел.: 8 (495) 411-68-86.

Өндіруші: «Э» АҚБ Баспасы, 123308, Мәскеу, Ресей, Зорге көшесі, 1 үй.
Тел.: 8 (495) 411-68-86.
Тауар белгісі: «Э»
Қазақстан Республикасында дистрибьютор және өнім бойынша арыз-талаптарды қабылдаушының өкілі «РДЦ-Алматы» ЖШС, Алматы қ., Домбровский көш., 3«а», литер Б, офис 1.
Тел.: 8 (727) 251-59-89/90/91/92, факс: 8 (727) 251 58 12 вн. 107.
Өнімнің жарамдылық мерзімі шектелмеген.
Сертификация туралы ақпарат сайтта Өндіруші «Э»

Сведения о подтверждении соответствия издания согласно законодательству РФ о техническом регулировании можно получить на сайте Издательства «Э»

Өндірген мемлекет: Ресей
Сертификация қарастырылмаған

Подписано в печать 19.10.2017. Формат 84x108 $^{1}/_{32}$.
Гарнитура «Newton». Печать офсетная. Усл. печ. л. 15,12.
Тираж 3000 экз. Заказ № 6708.

Отпечатано в ОАО «Можайский полиграфический комбинат».
143200, г. Можайск, ул. Мира, 93.
www.oaompk.ru, www.оаомпк.рф тел.: (495) 745-84-28, (49638) 20-685

В электронном виде книги издательства вы можете купить на www.litres.ru

Оптовая торговля книгами Издательства «Э»:
142700, Московская обл., Ленинский р-н, г. Видное,
Белокаменное ш., д. 1, многоканальный тел.: 411-50-74.

По вопросам приобретения книг Издательства «Э» зарубежными оптовыми покупателями обращаться в отдел зарубежных продаж
International Sales: International wholesale customers should contact Foreign Sales Department for their orders.

По вопросам заказа книг корпоративным клиентам, в том числе в специальном оформлении, *обращаться по тел.: +7 (495) 411-68-59, доб. 2261.*

Оптовая торговля бумажно-беловыми и канцелярскими товарами для школы и офиса:
142702, Московская обл., Ленинский р-н, г. Видное-2,
Белокаменное ш., д. 1, а/я 5. Тел./факс: +7 (495) 745-28-87 (многоканальный).

Полный ассортимент книг издательства для оптовых покупателей:
Москва. Адрес: 142701, Московская область, Ленинский р-н, г. Видное, Белокаменное шоссе, д. 1. Телефон: +7 (495) 411-50-74.
Нижний Новгород. Филиал в Нижнем Новгороде. Адрес: 603094, г. Нижний Новгород, улица Карпинского, дом 29, бизнес-парк «Грин Плаза». Телефон: +7 (831) 216-15-91 (92, 93, 94).
Санкт-Петербург. ООО «СЗКО». Адрес: 192029, г. Санкт-Петербург, пр. Обуховской Обороны, д. 84, лит. «Е». Телефон: +7 (812) 365-46-03 / 04. **E-mail:** server@szko.ru
Екатеринбург. Филиал в г. Екатеринбурге. Адрес: 620024, г. Екатеринбург, ул. Новинская, д. 2щ. Телефон: +7 (343) 272-72-01 (02/03/04/05/06/08).
Самара. Филиал в г. Самаре. Адрес: 443052, г. Самара, пр-т Кирова, д. 75/1, лит. «Е». Телефон: +7(846)207-55-50. **E-mail:** RDC-samara@mail.ru
Ростов-на-Дону. Филиал в г. Ростове-на-Дону. Адрес: 344023, г. Ростов-на-Дону, ул. Страны Советов, 44 А. Телефон: +7(863) 303-62-10.
Центр оптово-розничных продаж Cash&Carry в г. Ростове-на-Дону. Адрес: 344023, г. Ростов-на-Дону, ул. Страны Советов, д.44 В. Телефон: (863) 303-62-10. Режим работы: с 9-00 до 19-00.
Новосибирск. Филиал в г. Новосибирске. Адрес: 630015, г. Новосибирск, Комбинатский пер., д. 3. Телефон: +7(383) 289-91-42.
Хабаровск. Филиал РДЦ Новосибирск в Хабаровске. Адрес: 680000, г. Хабаровск, пер.Дзержинского, д.24, литера Б, офис 1. Телефон: +7(4212) 910-120.
Тюмень. Филиал в г. Тюмени. Центр оптово-розничных продаж Cash&Carry в г. Тюмени. Адрес: 625022, г. Тюмень, ул. Алебашевская, 9А (ТЦ Перестройка+). Телефон: +7 (3452) 21-53-96/ 97/ 98.
Краснодар. Обособленное подразделение в г. Краснодаре
Центр оптово-розничных продаж Cash&Carry в г. Краснодаре
Адрес: 350018, г. Краснодар, ул. Сормовская, д. 7, лит. «Г». Телефон: (861) 234-43-01(02).
Республика Беларусь. Центр оптово-розничных продаж Cash&Carry в г.Минске. Адрес: 220014, Республика Беларусь, г. Минск, проспект Жукова, 44, пом. 1-17, ТЦ «Outleto». Телефон: +375 17 251-40-23; +375 44 581-81-92. Режим работы: с 10-00 до 22-00.
Казахстан. РДЦ Алматы. Адрес: 050039, г. Алматы, ул.Домбровского, 3 «А». Телефон: +7 (727) 251-58-12, 251-59-90 (91,92,99).
Украина. ООО «Форс Украина». Адрес: 04073 г. Киев, ул.Вербовая, 17а. Телефон: +38 (044) 290-99-44. **E-mail:** sales@forsukraine.com

Полный ассортимент продукции Издательства «Э» можно приобрести в магазинах «Новый книжный» и «Читай-город».
Телефон единой справочной: 8 (800) 444-8-444. Звонок по России бесплатный.

В Санкт-Петербурге: в магазине «Парк Культуры и Чтения БУКВОЕД», Невский пр-т, д.46. Тел.: +7(812)601-0-601, www.bookvoed.ru

Розничная продажа книг с доставкой по всему миру. Тел.: +7 (495) 745-89-14.

ISBN 978-5-04-088648-7